LA BELLE AMBITION

DES MÊMES AUTEURS

Sophie Cadalen

Romans

Le Divan, éditions Blanche, 1999
Tu meurs, Le Cercle, 2001
Les Autres, éditions Blanche, 2002
Double vie, éditions Blanche ; Pocket, 2010

Essais

L'autre et moi, Michel Lafon, 2001
Rêves de femmes : faut-il oser les fantasmes ?, éditions Leduc, 2005
Toi Mars, Moi Vénus... ou le contraire, éditions Leduc, 2006
Inventer son couple, Eyrolles, 2006
Les femmes de pouvoir, des hommes comme les autres ?, Le Seuil, 2008
Tout pour plaire et toujours célibataire, Albin Michel, 2009

Bernadette Costa-Prades

Frida Khalo, Libreto, 2013
Momo, un moineau à Paris, Parigramme, 2013
Antimanuel de la sexualité, avec le docteur Sylvain Mimoun, Bréal, 2012
Comment survivre quand les parents se séparent ? avec Stéphane Clerget, Le Livre de poche, 2012
Plus belle ma vie après 50 ans, avec Claudine Badey Rodriguez, Albin Michel, 2011
Comment survivre en famille ?, avec Catherine Vanier, Le Livre de poche, 2011
Comment survivre à l'école ?, avec Roland Beller, Le Livre de poche, 2011
Comment survivre quand on est une fille ?, avec Emmanuelle Rigon, Le Livre de poche, 2011
Comment survivre quand on est un garçon ?, avec Jacques Arènes, Le Livre de poche, 2011
Osez vous faire respecter !, avec Stéphane Clerget, Albin Michel, 2010
Faites l'amour pour éviter la guerre dans le couple, avec Ghislaine Paris, Albin Michel, 2010
Réussir son nouveau couple, Hachette Littératures, 2009
Tu te souviens de 68 ? Une histoire intime et affectueuse, Albin Michel, 2008
Comment avoir de vrais amis ?, avec Stéphane Clerget, Albin Michel, 2008
Ce que les femmes préfèrent, première enquête sur le désir féminin, avec le docteur Sylvain Mimoun, Albin Michel, 2008
Parents, osez vous faire obéir !, avec Stéphane Clerget, Albin Michel, 2007
Apprendre à faire le vide, avec Paul Ariès, Milan, 2008
Les filles (un peu) expliquées aux garçons, les garçons (un peu) expliqués aux filles, Albin Michel, 2006
Simone de Beauvoir, Maren Sell, 2005
Comment survivre dans un monde de brutes ?, avec Olivier Grignon, 2005
Devenir parent d'adolescent, Milan, 1999
Je me souviens du Marais, Parigramme, 1996

www.editions-jclattes.fr

Sophie Cadalen
Bernadette Costa-Prades

LA BELLE AMBITION

JC Lattès

Maquette de couverture : Atelier Didier Thimonier

ISBN : 978-2-7096-4259-0

Première édition novembre 2013.

À nos enfants

« Nous n'avons qu'une vie,
il faut en prendre soin. »

Paul Morand, *Venises*

SOMMAIRE

INTRODUCTION

« Mon conseil : venez au monde ! »

Jeanette Winterson

Rarement mot a donné lieu à des interprétations aussi contrastées. Pour vous en convaincre, annoncez à vos amis que vous êtes en train de lire un livre sur l'ambition… Gageons que vous déclencherez des regards soupçonneux ! Avez-vous décidé d'écraser tout le monde sur votre chemin pour parvenir à vos fins ? Manquez-vous d'ambition au point de devoir en lire un mode d'emploi ? La suspicion pèse autant sur l'ambitieux aux dents qui rayent (forcément) le parquet que sur le non-ambitieux, que l'on imagine ballotté par la vie, sans objectif précis. Alors, faut-il ou non avoir de l'ambition pour trouver grâce aux yeux du monde ? Faut-il en avoir un peu pour qu'elle soit acceptable, mais pas trop pour ne pas susciter le rejet ? Y aurait-il une bonne dose à ne pas dépasser, comme on le dit d'un médicament qui peut se transformer en poison au-delà de la posologie prescrite ? À qui pensons-nous quand nous parlons avec effroi d'un ambitieux ? Bien souvent, à nos hommes et femmes politiques, vus comme des personnages sans foi ni loi, prêts à trahir un ami de trente ans ou trafiquer les résultats des votes pour parvenir au pouvoir. Il y a quelques mois, un magazine a fait sa une sur Rachida Dati sous ce titre *Le Retour d'une ambitieuse*, et l'on connaît la longueur des canines de la dame… Le film *Les Ambitieux*[1] illustre encore à merveille ce que recouvre ce terme pour beaucoup : il met en scène deux personnages que rien n'arrête dans la course à la réussite sociale. Au final, « retrouvant leurs esprits » à la faveur de l'amour, ils renoncent à leurs ambitions professionnelles. Que dit en substance cette comédie romantique ? Qu'ambition et sentiment ne font pas bon ménage. Qu'à trop vouloir la gloire, on prend le risque de perdre son âme en chemin. C'est une troisième voie que nous vous proposons d'explorer dans

1. Un film de Catherine Corsini.

ce livre, avec l'espoir qu'elle lèvera les ambiguïtés dont ce terme souffre depuis longtemps. La belle ambition dont nous parlons n'a rien à voir avec la réussite sociale, ou du moins, elle ne la résume pas, sans l'exclure pour autant. Certains hommes politiques sont ce que nous appelons de faux ambitieux, trouvant souvent dans l'ivresse du pouvoir et l'hyperactivité une façon d'asseoir leur identité et de tenir en laisse leurs angoisses. Quand nos casseroles de l'enfance ne sont pas décrochées, le seul moteur de l'action peut se révéler très névrotique, de nombreuses ambitions n'étant que fuite en avant, façon de s'éviter soigneusement. D'autres, plus rares il est vrai, briguent ces postes à responsabilité pour monter des projets qui leur tiennent à cœur. Ce sont des meneurs d'hommes au bon sens du terme, qui savent insuffler de l'énergie aux autres, et même s'ils se réjouissent d'avoir du pouvoir, ils n'en font pas leur unique quête. Mais que dire de ceux qui semblent manquer d'ambition ? Ont-ils effectivement peur de se lancer dans la bataille de la vie, de faire entendre leur désir ? Ou bien ont-ils l'ambition d'une vie sans tapage ? Nous pouvons vouloir que le monde nous laisse tranquille, ce qui n'est pas la moindre des ambitions dans une société toujours en mouvement !

Dépasser ses peurs

Cette ambivalence que nous entretenons à propos du mot « ambition » traduit nos mouvements psychiques inconscients. Oui, nous aimerions réussir notre vie, suivre nos désirs, mais nous en avons aussi terriblement peur et préférons nous rassurer avec l'idée qu'il vaut mieux faire profil bas, au risque d'en payer le prix fort. Nous sommes sans cesse tiraillés entre un désir de conservation, qui nous retient et nous intime de rester frileusement là où nous sommes, et une pulsion de vie qui nous pousse à explorer le monde, à aller vers notre désir. D'ailleurs, si vous demandez autour de vous : « Quelle est ton ambition ? », il y a de fortes chances pour que vous suscitiez un malaise. Pourquoi le simple fait de nous interroger sur le sujet nous effraie tant ? Peut-être tout simplement parce qu'il n'y a pas de question plus intime. En effet, explorer ses vrais désirs, se demander ce qui nous plaît réellement dans la vie ouvre un espace vertigineux ! Suis-je bien là où je suis ? Est-ce que ce que je fais m'intéresse ? Un tel questionnement, quand il est sincère, déclenche souvent la crainte d'avoir à bouleverser trop d'éléments, et nous préférons bâillonner nos envies pour être en paix. Si nous commençons à nous écouter, où cela va-t-il nous mener ? À notre ambition justement, qui est toujours un mouvement à enclencher, à libérer.

Faire entendre sa différence

Revendiquer son ambition, c'est se démarquer, alors que nous sommes toujours en train de chercher un consensus rassurant, tentés par la dilution dans un « nous » confortable, au mépris d'un « je » plus audacieux, plus dynamique, mais bien plus effrayant. Comme il est difficile d'affirmer notre petite différence au profit de la culture de l'entre soi ! D'ailleurs, qui sommes-nous pour vouloir sortir de notre case ? Un individu à part entière, avec ses désirs et ses envies particulières, et qui entend les vivre...

Arrêtons-nous un moment sur la critique dont fait l'objet aujourd'hui l'individualisme. Elle pointe un individu qui tracerait sa route sans se préoccuper des autres, s'accordant même des prérogatives sur leur dos. Or une société qui met l'individu au centre ne fabrique pas forcément une logique du chacun pour soi, bien au contraire. Quand nous existons réellement, nous sommes toujours plus enclins à prendre en compte l'autre, à respecter cette liberté que nous nous accordons. Empoigner son destin nous évite de subir notre vie, même si, et nous le verrons au cours du livre, il ne s'agit pas de nier les réalités économiques.

La belle ambition pour tous !

Aujourd'hui, hommes et femmes n'ont pas les mêmes autorisations à briguer leur ambition. La pression sociale fait qu'un homme à l'ambition discrète est considéré comme un raté, tandis qu'une femme qui vise un poste élevé ne peut être qu'une castratrice en puissance, négligeant forcément son rôle de mère. Pourtant, chacun devrait pouvoir entendre sa propre voix, loin des diktats qui réduisent le champ des possibles. Qu'un homme puisse aussi bien devenir Premier ministre s'il le souhaite, que gratte-papier dans une administration, si ce travail purement rémunérateur lui laisse les coudées franches pour s'adonner à son sport préféré, à ses enfants, à l'amour… Qu'une femme puisse aussi devenir chef d'entreprise si tel est son désir, ou ne pas travailler et élever ses enfants, si c'est ce qui lui procure le plus de joie. En dehors de l'ambition convenable, convenue, il y a celle qui nous convient à nous, rien qu'à nous, et qui touche tous les secteurs de notre vie : le travail, mais aussi l'amour, l'amitié, la famille. Nous pouvons avoir de l'ambition dans tous les domaines, en repérant ce qui nous excite, ce qui implique de faire taire notre petite voix raisonnable qui nous susurre « tu ne devrais pas, tu exagères ! ». Écouter la musique de notre désir ne nous garantit pas une vie sans tâtonnements, sans erreurs, mais constitue la première pierre de l'édifice de notre ambition.

Des ambitions non tapageuses

Tout au long de cet ouvrage, nous nous sommes heurtés à cet obstacle : les ambitions non estampillées comme telles par la société œuvrent dans l'ombre. L'homme qui choisit de cultiver son jardin ou de faire le tour du monde sans caméra à ses trousses ne sera jamais célèbre. La femme qui jouit pleinement de rester à la maison n'aura pas son nom dans le journal. Mais si ces parcours restent inconnus, ils n'en sont pas moins ambitieux, et parfois même plus libres, puisque dégagés du regard des autres. Des peintres japonais l'avaient si bien compris qu'ils changeaient de nom dès qu'ils commençaient à avoir une trop grande notoriété, craignant d'être enfermés dans une image qui risquait de brider leur liberté de création. Nous y reviendrons plus longuement dans le chapitre sur l'ambition féminine, mais il est évident que seuls s'exposent les parcours atypiques de femmes, sur une scène où nous n'avons pas l'habitude traditionnellement de les voir. À l'inverse, les hommes au parcours singulier sont souvent à chercher là où ils cessent d'être visibles, même si des hommes en vue peuvent garder leur liberté, à l'instar de Stéphane Bern, jamais là où les autres veulent l'enfermer, n'hésitant pas à tenir des propos décalés sur son intérêt pour les rois et les reines. Ou encore un Karl Lagerfeld, qui navigue joyeusement entre mode et mondanités, et réel appétit pour la culture, la sienne étant immense. Jacques Lacan soulignait qu'une analyse permettait d'apprendre à compter jusqu'à trois. Libéré de nos chaînes névrotiques, nous sortons de ce système binaire qui voudrait qu'il n'y ait que le bien et le mal, le maintenant ou jamais, la bonne et la mauvaise ambition. La sagesse zen parle également d'une troisième voie, à découvrir en soi : notre ambition sera peut-être voyante ou discrète, mais elle n'appartiendra qu'à nous.

Se libérer des demandes

Pour l'entendre, nous allons devoir nous défaire de la tentation de répondre à la demande, réelle ou imaginaire, de notre entourage. Il est évidemment bien tentant d'être attendu quelque part, et de ne pas questionner notre vrai désir, sauf que ces attentes nous éloignent souvent de notre ambition. Il ne s'agit pas bien sûr de rejeter toutes les demandes – certaines allant dans notre sens – mais de les interroger : ai-je envie d'aller là où on me réclame, ou est-ce que j'accours de peur de ne plus être aimé ? Malheureusement, nous sommes toujours plus prompts à répondre à ce que veulent les autres qu'à affirmer notre propre style. Pour trouver notre ambition, osons nous questionner : pourquoi est-ce que je fais tel métier, pourquoi suis-je avec ce partenaire ? Parce que cela m'intéresse, qu'il me plaît, que c'est là que je me sens le mieux ? Oui ? J'ai trouvé la seule réponse possible.

Tous responsables

La véritable ambition menace souvent l'ordre général, le consensus, puisqu'elle est toujours une voix singulière qui tente de se faire entendre dans un brouhaha moutonnier. Si cette affirmation ne se fait pas forcément au détriment des autres, elle requiert que nous ne la mettions pas « en veilleuse », comme le suggéraient peut-être nos parents effrayés par notre audace.

L'ambition suppose des choix assumés, plus nombreux à notre disposition que nous voulons le croire, même si nous le répétons, il ne s'agit pas de nier les difficultés sociales, nous y reviendrons longuement. Mais face à cette responsabilité qui nous effraie, nous préférons nous réfugier dans la vision plus confortable d'un monde qui va mal, pestons contre ces « autres », tous des arrivistes. Ou bien, nous nous rassurons : après tout, de quoi nous plaignons-nous, il y a plus malheureux que nous ! Nous allons revisiter tous ces proverbes de renoncement à l'ambition qui émaillent le discours ambiant. On ne fait pas ce que l'on veut, on ne peut pas tout avoir ? C'est vrai, mais si au moins on essayait ? Rêvons un peu d'un monde où nous serions tous responsables de nos vies. Utopique ? Nous pouvons tendre vers cet objectif, jamais atteint, mais qui évite de se laisser happer par le piège de la victimisation : « Que voulez-vous, je n'y suis pour rien », ou du renoncement, « De toute façon, on ne va pas changer le monde »... Chiche ?... Comme disent nos enfants, qui sont souvent les plus ambitieux !

Tous libres

Ce livre ne donne ni leçon, ni recette, ni réponse toute faite. Il aimerait vous aider à vous questionner sur votre ambition, à réfléchir à vos éventuels blocages, pour ne pas la laisser dans l'ombre, sous peine de devenir aigri ou résigné, de passer à côté de votre vie. Peut-être, en avançant dans votre réflexion, allez-vous découvrir que cette ambition sociale que vous pensiez vôtre ne l'est pas vraiment, mais peut-être aussi allez-vous entendre votre envie de réussite, si tel est votre désir. Dépassons le piège de l'ego qui nous pousse à rester frileux, prenons le risque de revisiter l'image que nous caressons de nous-mêmes depuis tant d'années. Abandonnons gaiement en chemin nos préjugés, nos principes, nos certitudes. L'ambition est la conquête de sa liberté. Existe-t-il un plus beau projet ?

Première partie

LE GRAND MALENTENDU

L'AMBITION OBLIGÉE

« Se construire, infiniment. »

Rilke

Ambition, désir et volonté

Posons d'emblée une distinction, qui va servir de fil conducteur à toute notre réflexion.

Il existe une confusion entre l'ambition volontaire – dont il faudra toujours se demander par qui elle nous est imposée : la société ? la famille ? l'environnement ? – et la belle ambition qui nous intéresse et se situe du côté du désir, de l'énergie fournie par ce désir, souvent de façon inconsciente. Celle-ci n'a rien de volontaire, au sens où elle se situerait du côté des « il faut », « je devrais », au détriment des « j'en ai envie », « cela m'excite vraiment »... La belle ambition sera la mise en œuvre de ces désirs-là, libres et joyeux, même si elle demande des efforts pour concrétiser nos projets.

Tu seras ingénieur, mon fils

L'éducation est le premier lieu où se forgent les armes pour suivre son ambition. Or rien de plus délétère que de croire qu'il n'existe qu'une voie royale ! Celle-ci pose inévitablement la question des études, du métier, et de l'orientation, maître-mot qui taraude de plus en plus tôt les jeunes et leurs parents. C'est tout juste si, dès la sixième, l'enfant ne devrait pas savoir exactement la carrière qu'il compte embrasser jusqu'à la fin de ses jours... Aujourd'hui, point d'énergie à perdre, point d'investissement qui ne soit sûr ! Dans ce parcours, intégrer une grande école semble être le but suprême, même s'il ne concerne qu'un petit nombre d'élus. Là se trouvent, pense-t-on, les débouchés assurés, autre grand mot qui accompagne l'orientation : la route est droite, l'horizon bien borné, pour ne pas dire... bouché ! Pourtant, quel adulte peut se targuer de savoir ce qu'il fera dans dix ans ? Bien qu'aujourd'hui plus personne n'ait la garantie de garder son emploi à vie, nous continuons à caresser le rêve, pour nous, pour nos enfants, de trouver ce métier qui sera le nôtre jusqu'à la retraite. Ce qui n'est guère étonnant, tant ce fantasme fait partie de notre psyché, que Freud nommait notre instinct de conservation. Même si les carrières n'ont plus rien de linéaire, que les possibilités de stages, de perfectionnement existent pour bifurquer ou changer de route, en fonction des envies ou impératifs de chacun, nous nous comportons comme si chaque choix était définitif. Bien que l'environnement économique soit des plus instables, les jeunes sont tenus de s'engager dans une voie bien tracée. Mais n'est-ce pas à l'épreuve de la réalité que leurs compétences se préciseront, s'affineront ? Dans les pays comme l'Allemagne, les nouveaux bacheliers ont le droit à une année d'incertitude, de tâtonnements. Ils en profitent pour réfléchir à leur projet de vie, voyagent, font de l'humanitaire, bref, se frottent au réel, avant de s'engager vraiment dans leurs études. Le système français, lui, interdit cette errance : toute année perdue est vécue comme un drame, une marche manquée. Résultat : soit le jeune fonce tête baissée sans se poser de questions pour se caser au plus vite, soit il reste au milieu du gué, dans une indécision totale, deux comportements censés lui éviter la prise de risque... qui en fait ne lui évitent rien du tout !

Ne te trompe pas !

Nous ne pouvons faire l'économie du choix, des ratés et des tâtonnements qui l'accompagnent car c'est ce que nous payons le plus cher. Or tout choix est un risque à prendre, sauf à rester cantonné, voire tétanisé par la logique du « bon choix », dont nous ne serons jamais tout à fait sûrs... Nous nous pensons toujours à l'embranchement d'un carrefour : si nous prenons à gauche, alors qu'il « fallait » prendre à droite, nous allons, croyons-nous, rater notre vie. Comme s'il n'y avait aucune possibilité de marche arrière, ou de tourner trois fois autour du rond-point avant de nous décider, ou encore d'emprunter des chemins de traverse pour retrouver un peu plus loin la grande route. Et pourtant, nous muselons nos jeunes avec des mises en garde incessantes (« attention, c'est ton avenir qui est en jeu ! »), alors même que le droit à l'erreur augmente les performances, ainsi que le montre une récente étude.

Des chercheurs ont mis deux enfants face à un même exercice, donnant pour consigne au premier de ne « surtout pas le rater », et au second, d'« essayer de le faire »... À votre avis, lequel des deux a le mieux réussi ? Celui à qui l'exercice a été présenté comme une épreuve inratable, ou celui à qui on a laissé le droit de se tromper ? Si nous disions aux enfants qui apprennent à faire du vélo « tu ne dois surtout pas tomber », gageons que neuf personnes sur dix seraient incapables de tenir sur une selle ! Pourquoi une telle pression ? Parce que nous associons volontiers risque et échec, comme si nos erreurs n'avaient rien à nous apprendre et ne nous permettaient pas d'affiner nos préférences, de préciser nos choix. Prenons la première année d'études, si souvent abandonnée, au grand dam de nombreux parents. N'est-ce pas en suivant ses premiers cours que le jeune peut découvrir si la discipline l'intéresse ou pas ? Comment le saurait-il avant ? Et peut-on lui reprocher d'avoir cru trouver sa voie et se rendre compte que, décidément, le droit l'ennuie, que la médecine n'est pas pour lui car dès le premier stage, il a tourné de l'œil devant une goutte de sang ? Faudrait-il qu'il poursuive au risque de faire un médecin ou un avocat médiocre ? Nous sommes tellement mauvais dans les activités qui nous pèsent…

Ne rêve pas trop…

Pourtant, si nous écoutions vraiment les enfants, nous comprendrions qu'ils ont souvent des ambitions démesurées : ils rêvent d'aller dans la lune, de devenir collectionneur de papillons, de créer le médicament qui empêche de mourir... Autant de pistes qui permettent à l'adulte de rebondir et d'interroger ses motivations : que ferais-tu dans la lune ? Est-ce que ce serait si bien l'éternité ? Avant six ans, les enfants inventent la métaphysique, et nous la réapprennent si nous prenons le temps de dialoguer avec eux. Éduquer ne consiste pas à brider les rêves, ni à donner des réponses à toutes leurs interrogations. Certains changent d'idées de métiers tous les matins, tant qu'ils ne sont pas en train de remplir leur bordereau d'orientation, est-ce un problème ? La plus belle éducation consiste à ne pas étouffer leurs doutes. Malheureusement, au moment des choix, tels que les fameuses orientations, le jeune n'a pas toujours la possibilité de se poser haut et fort les questions qui le taraudent : est-ce qu'il a choisi telle section, telle voie parce qu'elle lui plaît vraiment, ou parce que la conseillère d'orientation le voyait dans ce métier, ou que son grand-père serait ravi, ou que le titre était joli, ou, ou... ? Notre angoisse de parent inquiet pour l'avenir conduit souvent notre enfant – soucieux de nous ménager – à garder ses interrogations pour lui, alors que s'il se sentait autorisé à y prêter attention, peut-être que la petite musique d'un désir balbutiant arriverait à se faire entendre.

Non seulement nous devrions laisser émerger ses questions, mais les encourager, les accompagner, les border pour qu'elles débouchent sur une réflexion utile, sur des choix faits en toute liberté, pouvant toujours être révisés. C'est dans ce tâtonnement autorisé qu'il trouvera peut-être ce qui le tente et l'intéresse.

Trouve ta vocation

Nous caressons en secret le rêve d'une vocation, pour nous et nos enfants, et nous imaginons volontiers que les personnes qui réussissent ne doutaient pas de la leur. Comme dans le mythe du prince charmant, où nous sommes censés trouver la fameuse moitié d'orange ou de pomme pour nous compléter, il y aurait peut-être un métier exactement fait pour nous, taillé à notre mesure. La vocation déroulerait le tapis rouge sous nos pieds, idéal qui nous éviterait surtout les errements que nous redoutons tant ! Car la vocation, dans nos imaginaires, montre toujours la voie : je sais exactement ce qui me plaît, ce que je veux dans la vie, et comment l'atteindre. Elle nous conforte et nous réconforte : touchés par cette grâce, programmés pour notre destinée, nous serons musicien, médecin, peintre... Avec elle, plus de « je croyais », ni de « peut-être », nous voilà soulagés de nos ambivalences, de nos contradictions. Bien sûr, il n'est pas question de nier que certains d'entre nous ont des envies fortes qui se dessinent très tôt, mais ils ne feront pas pour autant l'épargne de la mise à l'épreuve de leur vocation, des efforts à fournir pour la réaliser, des réajustements incessants entre projet et réalité. Le doute accompagne tout chemin professionnel, toute ambition, même la plus chevillée au corps. Là encore il faudra peut-être se poser, s'écouter, laisser passer du temps, contrairement à l'image que nous nous faisons de la vocation : une ligne droite bordée de roses.

Sois passionné !

Tout comme la vocation, la passion jouit d'un statut privilégié, en amour comme au travail. Aujourd'hui, jeunes et moins jeunes se doivent d'être passionnés par ce qu'ils font, une injonction qui peut devenir très pesante. Pourtant, beaucoup de personnes aiment leur métier mais pourraient tout aussi bien travailler dans un autre domaine. Sommes-nous tous agités par les mêmes énergies ? Certains fonctionnent sur un mode passionnel, enthousiaste, quand d'autres promènent une sorte de détachement dans la vie, ce qui ne signifie pas qu'ils sont moins animés de désir, mais que sa voix est peut-être plus ténue ou plus subtile. S'ils mènent leur barque discrètement, ne revendiquent rien haut et fort, leur ambition n'est pas atrophiée pour autant. Or, dans l'imaginaire collectif, la passion doit être forcément ravageuse, tout écraser sur son passage, à tel point qu'elle justifie jusqu'au crime passionnel qui en deviendrait honorable, faisant oublier qu'il est la négation totale de l'autre : je t'aime tant que je te tue... Combien de parents se désolent que leur enfant ne s'intéresse à rien ? Mais s'ennuie-t-il pour autant ? Ne peut-on admettre qu'il y ait des enfants entreprenants et des enfants rêveurs ? Des timides et des casse-cous ? Des enfants qui font des activités à fond, puis passent à autre chose, quand d'autres aiment le piano dès l'âge de cinq ans et n'en démordront pas ? D'autres encore qui se promènent entre différents loisirs sans révélation à la clé ? Si les parents sont là pour encadrer leur enfant, lui apprendre à respecter les règles, ils vont parfois jusqu'à lui imposer un devoir de curiosité, un idéal sportif : qu'il s'enthousiasme pour le foot si c'est un garçon, qu'elle soit passionnée par la danse si c'est une fille, tant les passions sont elles aussi formatées... Pourtant, si leur enfant est très bien dans la lune, pourquoi le parent souhaite-t-il l'en faire redescendre absolument ? Pour briller dans le sport qu'il rêvait de faire ? Pour réparer le souvenir d'une enfance ennuyeuse en multipliant les inscriptions ? Pour se déculpabiliser en le sachant occupé à de nobles loisirs le mercredi, alors qu'il est obligé de travailler ? Autant de questions utiles à se poser quand nous nous désolons que notre enfant ne soit pas plus passionné... Certains enfants préfèrent picorer et s'en portent mieux que de s'attabler devant une choucroute. Ils ne font rien à fond, mais aiment essayer, tout les amuse. Ce qui ne signifie pas qu'ils ne sont intéressés par rien, loin de là ! Une telle attitude déroute les parents, qui craignent que leur enfant ne trouve pas où s'inscrire dans la vie. Ils préféreraient le savoir arrivé à bon port, arrimé à une activité absorbante, quitte à le cantonner dans l'immobilité. Bien sûr, cette liberté de goûter à tout ne doit pas se transformer en flottement, sans accompagnement. Il faudra éviter que nos enfants soient dans une flânerie constante, leur suggérer des activités pour qu'ils ne s'éparpillent pas ou ne s'installent dans un dilettantisme. C'est notre rôle d'éducateur de les inviter à persister dans une activité, au moins un certain temps, car nous le savons mieux qu'eux, certains sports ou instruments de musique demandent des efforts avant de devenir gratifiants, persévérance dont ils ne pourront faire l'économie.

Choisis une ambition convenable

Parallèlement à cette admiration sans bornes que nous vouons aux vocations et aux passions, l'ambition ne doit pas sortir de certains sentiers battus. Oui à celui qui veut être ingénieur ou médecin, méfiance à celui qui rêve d'être anthropologue ou photographe : les débouchés étant plus flous, ou moins connus, ces métiers ne sont guère encouragés aujourd'hui par le système scolaire. Et pourtant, la citation : « Ils ne savaient pas que c'était impossible, alors ils l'ont fait » devrait être affichée dans tous les centres d'orientation ! Il ne s'agit pas de laisser les jeunes se mettre en danger mais de les informer et leur permettre d'aller vers ce qui leur plaît vraiment. Peut-être, d'ailleurs, vont-ils se rendre compte que cette direction ne les intéresse pas tant qu'ils se l'étaient imaginé. Ce qui plombe assurément toute ambition est l'idée d'un choix sur lequel nous ne pourrions plus revenir. Or seule la confrontation avec la réalité d'un domaine ou d'un métier va faire émerger une idée nouvelle, inattendue. Lorsque l'on se retourne sur nos parcours professionnels, ne sommes-nous pas nombreux à être partis d'un désir précis, pour arriver ailleurs, par d'autres chemins et des circonstances imprévisibles ? De nombreuses actrices ont commencé par être danseuses, puis, se rendant compte qu'elles n'étaient pas dans leur élément, ont poursuivi leur carrière d'artiste autrement. La réussite ne doit pas non plus être revendiquée haut et fort. Un jeune qui claironne son ambition prend le risque de se faire traiter de blanc-bec : pour qui se prend-il, croit-il que l'on fait ce que l'on veut dans la vie ? D'ailleurs, cette dernière se chargera sûrement de lui donner une leçon...

Ajoutons que si, en général, nous aimons ceux qui choisissent les carrières intellectuelles, ou partent soigner le tiers-monde, certains milieux méprisent ceux qui s'engagent dans des carrières commerciales, se pincent le nez devant les succès trop rapides ou trop visibles. Dans notre culture catholique, il n'est pas de bon ton de parler d'argent, ni de revendiquer le fait d'en gagner et d'en être satisfait, même si en coulisses on compte et on recompte, les scandales financiers étant loin d'épargner l'Église et le Vatican ! Dans la culture juive, l'argent ne jouit pas du même statut. Fortune et réussite n'y sont pas tabous, et si, dans le Talmud, il est recommandé de donner aux pauvres, il n'est pas conseillé de se dépouiller au-delà d'un certain seuil. Dans la bourgeoisie française, il est vulgaire d'étaler ses richesses, tandis qu'aux États-Unis, il est tout à fait admis de détailler son compte en banque, surtout s'il est bien fourni ! La belle ambition dont nous parlons va bien au-delà, elle ratisse tous les secteurs, peut ne rien avoir à faire avec l'ambition estampillée comme telle, sans pour autant la dénigrer. De la même façon, elle peut ne pas s'inscrire dans un ordre voulu par l'entourage, parce que notre motivation ne s'y retrouve pas. Cette forme de morale, qui juge certains métiers plus louables que d'autres, oublie que certains détours – que d'autres qualifieraient d'errements – nous conduisent parfois vers l'ambition qui nous convient, au moins pour un temps. Ainsi, sans renoncer à notre idéal humanitaire, nous pouvons passer par des métiers moins « généreux » pour nous rendre compte que, décidément, la finance ou le marketing ne sont pas pour nous. Ou qu'ils sont une voie pour la réalisation de nos projets, à l'instar d'Esther Duflo, jeune économiste à l'ambition revendiquée et aux idéaux affirmés dans sa lutte contre la pauvreté et qui vient de rejoindre le « conseil présidentiel pour le développement durable » initié par Barack Obama. Méfions-nous toujours de ceux qui veulent nous apprendre à vivre, que ce soit en accumulant les millions ou en fabriquant du fromage de chèvre en Ariège... Peut-être que, peu convaincus de leur propre choix, ils ont besoin que les autres valident leur ambition. Mais celle-ci s'en trouve toujours fragilisée quand elle dépend du regard des autres. Nous reviendrons sur ce point longuement.

Il est toujours intéressant de différencier les positions assumées, qui n'apportent pas toutes les réponses, des positions défensives, qui se veulent indiscutables. Mais qui peut donner des leçons de vie ? Qui a la garantie qu'en se comportant de telle ou telle manière, les humains seraient plus heureux ? Pourtant, les maîtres de vie ne manquent pas…

Suis les conseils d'un coach

Au fond, pourquoi avons-nous tant besoin de certitudes ? Peut-être parce que nous n'avons jamais eu autant de choix. Auparavant, la société très codée permettait moins de rêver, les rôles sociaux étaient bien définis, peu s'aventuraient hors des frontières, peu d'ailleurs en avaient la possibilité. Bien qu'ayant contesté cette rigidité, nous n'avions pas prévu à quel point elle nous semblerait sécurisante après coup ! Alors, nous dressons désormais d'autres barrières, pour le plus grand bonheur des coachs qui volent à notre secours. Dans le domaine professionnel, on assiste désormais à un engouement inédit pour les bilans de compétences. Qu'en attendons-nous ? La révélation de nos vrais talents, du métier pour lequel nous serions faits et, nous l'espérons, l'émergence de cette fameuse vocation qui serait la nôtre. Mais les plus compétents de ces consultants, les plus honnêtes, agiteront en réalité davantage d'interrogations qu'ils n'apporteront de réponses, car aucun bilan ne résoudra la question de notre désir – et heureusement : il serait glaçant que la vie se laisse enfermer dans une grille.

Pourtant, notre époque en mal de repères nous intime l'ordre de trouver un sens à notre vie. Or Freud soulignait que lorsque nous nous posions cette question du sens de notre vie, c'est que nous étions névrosés. Dans cette interrogation vient se nicher l'idée d'une existence forcément utile, utilité rassurante pour l'ego, mais totalement incongrue au regard de notre issue certaine : la mort !

Un vaste marché trouve à s'épanouir autour de cette aspiration à trouver cette fameuse voie qui ferait sens, et dont pléthore de gourous promettent l'accès. Un sens qui serait le même pour tous, comme celui fourni par les religions. Quand nous ne savons pas où se niche notre ambition, cette multitude de coachs se propose de nous en livrer une, clé en main. La vraie question n'est-elle pas plutôt de nous demander ce qui fait sens pour nous ? De nous interroger sur ce qui nous anime, ce qui nous pousse ? Question bien trop personnelle pour trouver la réponse dans des formules générales…

Des codes à adapter à notre message

La théorie du code et du message du psychanalyste Jacques Lacan illustre parfaitement les dilemmes que nous allons rencontrer sur le chemin de notre ambition. Le message, c'est ce qui nous porte, nous motive, il est une expression de notre désir inconscient. Le code, ce sont les règles que nous devrons suivre pour pouvoir transformer concrètement cette énergie et réaliser notre ambition. Les attitudes névrotiques nous permettent de mieux comprendre le fonctionnement de cette dynamique. Ainsi prenons l'hystérique : il est porteur d'un message, regorge souvent d'idées, de créativité, mais se montre incapable de s'inscrire dans un certain ordre, de suivre un processus. Résultat : il n'arrive jamais au bout de ses projets, ne sachant pas mettre en partition la petite musique de son désir. Son message bouillonnant reste... à l'état de brouillon ! À l'inverse, l'obsessionnel dispose des codes, mais est tellement appliqué à les respecter qu'il en occulte son message. Il peut par exemple passer son temps à prendre des cours, à cumuler les diplômes, à étoffer son « bagage » sans le mettre à profit pour une ambition personnelle, n'en ayant jamais assez pour s'autoriser à passer à l'action. Pas plus que l'obsessionnel, l'hystérique ne s'autorise la réussite, car en refusant de jouer le jeu et de se plier à certaines règles pour finaliser son projet, il reste dans le rêve, préservant ainsi son ego. Plus nous cajolons l'idée d'un Moi formidable qui, un jour, montrera l'étendue de notre talent à la face du monde, moins nous osons nous lancer, au risque de briser le fantasme de ne plus être les futurs rois de l'univers.

Toutefois, chacun de nous doit jouer des codes en vigueur pour faire passer son message. Prenons l'exemple du code de la route, ces règles que tout automobiliste est censé respecter. Conduire sa vie, c'est aussi s'adapter aux circonstances : si un enfant est au milieu de la chaussée, ce n'est pas parce que le feu est vert qu'on va lui rouler dessus. Il nous faudra sans cesse réajuster et redéfinir les codes, en fonction d'une rencontre, d'un nouveau contexte. Si nous pensons qu'il n'y a qu'une seule façon de faire, nous allons perdre une énergie folle à nous inscrire dans les clous, allant à l'encontre de ce que nous sommes. Le langage illustre bien cette nécessité de tricoter code et message : nous allons tous apprendre à parler, à écrire, avec le même bagage de mots, que nous agencerons ensuite selon notre propre style, et que chacun recevra différemment.

Message et code ne cessent de se croiser, l'un et l'autre réclamant souplesse et mobilité pour évoluer dans le sens de notre ambition, malgré les obstacles.

Un exemple ? L'écrivain qui a des problèmes d'orthographe – lui aussi peut souffrir de dyslexie – a son sujet et le style pour le narrer, mais il faut qu'un correcteur passe derrière lui, car les codes orthographiques doivent être impérativement respectés pour la publication. Ayant conscience de sa faiblesse, il la contourne, sans museler sa créativité.

Savoir slalomer avec le code

Les enfants sont experts dans l'art de slalomer avec le code, sans abandonner leur précieux message en cours de route. Beaucoup, et ce ne sont d'ailleurs pas eux que l'école valorise, ne répondent pas à l'injonction d'être le premier. Ils font ce qu'il faut pour ne pas avoir d'ennuis, mais ne cèdent pas sur tout, et pas au prix de leur vitalité. Alors qu'ils sont souvent malins, dégourdis, leur scolarité sera accompagnée d'éternels « peut mieux faire ». Mais de quelle intelligence parlons-nous quand nous la cantonnons au bulletin scolaire ? L'intelligence de la vie ne consiste-t-elle pas à échapper à la rigidité du code unique de la note ? L'élève dit moyen sait souvent qu'il a une demande à satisfaire – il ne passe pas sous la barre fatidique du 10 – mais négocie pour ne pas renoncer à ce qui lui importe au moins autant que les heures de cours : la récréation, ses copains... Cette souplesse l'aidera plus tard à réussir sa vie autant, peut-être plus, que celui qui a suivi la seule voie de l'excellence, car il aura fait l'apprentissage précieux de la liberté. D'ailleurs, ces enfants vont souvent rencontrer le succès en chemin, et se mettre à briller dans une matière lorsqu'ils croisent un professeur qui sait leur transmettre l'envie, le désir. L'éducation fonctionne quand elle repose sur l'échange : « mon envie de vous donner envie va vous donner envie », comme le souligne joliment Daniel Pennac. Quand les professeurs exerçant dans des milieux défavorisés sont investis dans leur mission éducative, ils savent offrir de multiples possibilités aux enfants en difficulté en jouant sur ces fameux codes. Ils délaissent momentanément Flaubert, même s'il est au programme, pour travailler sur des textes de rap, des romans contemporains que les jeunes peuvent s'approprier et qui leur ouvrent les portes de la culture. En matière d'éducation, la souplesse est sans doute une des notions les plus précieuses à transmettre aux enfants, tant ce qui vaut pour l'un aujourd'hui, ne vaut plus pour l'autre demain. Tous les parents savent bien que leur façon de faire est éphémère, qu'ils doivent la réajuster au fur et à mesure que l'enfant grandit, ne serait-ce que parce que ce dernier ne cesse d'interroger les codes qui lui sont imposés. Mais plus ces derniers seront mobiles et évolutifs, plus l'enfant apprendra à circuler entre eux, à leur obéir quand c'est son intérêt, à les contester quelquefois, plus il sera libre d'aller vers son ambition. Loin de l'enfermer, ils lui serviront de balises pour oser entreprendre et réussir à sa façon. Car il ne s'agit pas pour autant de le laisser naviguer sans code, au risque que son message ne puisse se réaliser, comme nous l'avons vu dans le cas de l'hystérie. Chacun fera sa cuisine personnelle avec ce qui lui a été légué, comme les trois fils de cette femme qui ont chacun une façon de faire le couscous, à partir de la recette de la grand-mère, transmise par la mère. Le code, c'est la recette qu'il a fallu apprendre – les bases du couscous – mais le message est propre à chacun, il est affaire de goût, s'exprime par des nuances d'épices, la présence de certains légumes qui bouleversent le résultat et en font chaque fois un plat unique.

L'AMBITION FRILEUSE

« Celui qui essaie peut perdre.
Celui qui n'essaie pas a déjà perdu. »

Bertolt Brecht

*« On sait ce qu'on quitte,
pas ce qu'on trouve. »*

Dans le discours, nous valorisons l'ambition tonitruante, mais dans la réalité, nous prônons bien souvent des attitudes frileuses. Ainsi, celui qui se risque à vouloir plus qu'il n'a, à quitter une place qui ne lui convient plus, s'expose à des levées de boucliers, surtout s'il n'a pas encore l'assurance de son prochain travail. Nous sommes encouragés à faire avec ce que nous avons, quel qu'en soit le prix, ce qui peut se révéler très névrotique. Combien soupirent : « On sait ce qu'on quitte, on ne sait pas ce qu'on trouve ! », ou se rassurent : « Oh, je n'ai pas à me plaindre, il y a plus malheureux que moi... » La peur de l'inconnu est le prétexte à rester sur place, avec à l'appui des arguments concrets et raisonnables. Pourtant, bien souvent, il faut d'abord faire le vide pour qu'émerge une nouvelle proposition, pour que se précisent de nouvelles envies. Les possibilités dont nous rêvons nous font peur quand elles se profilent, notre fameux instinct de conservation nous soufflant de ne pas bouger de notre pré carré, notre crainte ne pas être à la hauteur retenant elle aussi tout élan. Consciemment, nous allons dire que ce nouveau poste n'est pas pour nous, que ce n'est pas le bon moment, que nous n'en sommes pas capables, dans le but – inconscient – de ne pas écorner une image idéale de nous-mêmes. Plus pernicieux encore : cette peur de l'échec peut en masquer une autre plus grande encore : celle de réussir ! Une crainte bien plus difficile à dénicher que la première, toujours mieux identifiée. Nous voulons tous réussir, croyons-nous ? Mais nous préférons cajoler le fantasme d'une réussite future, que nous scénarisons à notre guise, plutôt que de nous risquer à la vivre, à nous jeter à l'eau, aventure que nous ne sommes pas si nombreux à vouloir tenter. En restant bien en deçà de notre désir réel, nous nous préservons certes de tout échec, mais aussi d'une possible réussite que nous ne maîtriserions plus, qui nous conduirait nous ne savons où, et peut-être au-delà de nos rêves les plus fous...

Mais enfin, c'est la crise !

Ces encouragements à rester à notre place confortent l'immobilisme de beaucoup d'entre nous, même si le prix à payer est élevé. Un proverbe assure qu'il ne faut lâcher le pain rassis qu'après avoir trouvé la brioche, mais si nous ne pouvons plus mâcher notre pain dur ? Si garder ce poste, nous en sommes intimement convaincus, nous abîme et nous fragilise ? Les audacieux qui osent rompre avec une situation devenue intolérable agacent ceux qui ne s'autorisent pas ce choix et cette liberté. Et de soupirer « si vous croyez que la vie est facile », petite phrase qui nous rassure, car que dit-elle ? Qu'il y aurait une espèce de loi fantasmatique qui ordonnerait le monde. Dans cette logique, les audaces se payent, les renoncements sont obligés, les envies sont ravalées. Et celui qui dit « j'arrête, c'est trop pour moi » paraît léger, inconséquent, alors qu'il prend la responsabilité de ne plus répondre à une demande – rester là où il est, faire ce qu'il a à faire – quand d'autres évitent d'avoir à choisir et laissent en suspens la question de leur véritable désir.

Bien que la génération de nos grands-parents n'ait pas été forcément plus audacieuse, notre époque, elle, a un argument tout trouvé pour justifier sa frilosité : c'est la crise ! Même s'il ne s'agit pas de nier la réalité économique, et nous y reviendrons plus longuement[1], elle a parfois bon dos et les plus contents sont sans doute les dirigeants, satisfaits que leurs salariés aient peur pour leur emploi, meilleure façon d'avoir des moutons dociles : chacun reste à sa place et l'usine est bien gardée. Dès que les hommes et les femmes se positionnent comme sujets, autorisés à désirer et choisir, ils deviennent beaucoup moins malléables.

« On ne peut pas tout avoir ! »

Nous sommes pétris de morale chrétienne et doloriste, en témoigne notre culte de la modération. Regardez ce que nous avons fait du zen en Occident. Jacques Lacan parle de poussée du vide, mais ce vide-là a été remplacé dans notre

1. Voir le chapitre « L'ambition muselée ».

interprétation occidentale par une invitation à se délester des biens matériels, à se contenter du minimum. La pondération est notre maître-mot et nous sommes devenus plus ascètes que les moines bouddhistes eux-mêmes ! Les premiers d'entre eux, invités à Paris dans les années 1960 pour initier des Occidentaux, se sont comportés comme des gamins lâchés dans la ville : ils bavaient devant les vitrines, rigolant et se régalant de tout, nullement entravés par des principes de bonne tenue ni de tempérance, ce qui n'a pas manqué de déconcerter leurs hôtes. Nous avons transformé cette philosophie orientale en une posture plus rigide que mobile, qui prêche la modestie : surtout pas trop de désir, pas trop d'argent, pas trop d'envie...

Toujours dans cette logique de modération, nous n'aurions pas le droit d'avoir plusieurs ambitions satisfaites. Ainsi, bien souvent, les femmes pensent qu'elles ne peuvent pas réussir leur vie amoureuse *et* leur vie professionnelle, comme si l'une devait être sacrifiée à l'autre puisqu'« on ne peut pas tout avoir »... Et pourquoi pas ? Cette revendication, qui paraît toujours indécente, est mal perçue par un entourage qui nous souffle que nous allons forcément le payer. Il y aura toujours quelqu'un pour rappeler à la femme d'affaires que son couple ou ses enfants pâtissent forcément de son investissement au travail. Quant à ceux ou celles qui font le choix, voulu et assumé, d'élever leurs enfants, d'autres voix s'élèveront pour leur susurrer qu'ils feraient mieux d'assurer leur avenir, qu'ils risquent de le regretter plus tard.

Faire des choix, c'est dire « je préfère ceci à cela, je ne sais pas si j'ai raison à cent pour cent, mais aujourd'hui, je me sens mieux de ce côté-là que de l'autre, où je suis malheureux ». Qu'avons-nous vraiment envie de faire ? Travailler plus pour gagner plus et sacrifier nos loisirs ? Travailler beaucoup parce que notre travail nous passionne, ce qui ne nous empêche nullement d'aimer nos enfants, qui se portent toujours mieux quand leurs parents sont épanouis et heureux de ce qu'ils font ? Pourquoi n'y aurait-il qu'un seul modèle auquel nous serions tous censés souscrire, au prix d'efforts et de sacrifices surhumains ? Si la position du « tout » qui consiste à vouloir aller à droite *et* à gauche est névrotique parce qu'elle nous contraint à rester au milieu du gué, la posture imaginaire qui nous conduit à penser que l'on ne peut tout avoir l'est tout autant. Certes, nous ne pourrons jamais tout avoir – le voudrions-nous seulement ? – mais nous pouvons avoir l'ambition d'en avoir pas mal. Contrairement à ce qu'affirme l'adage, rien ne nous empêche d'espérer avoir le beurre, l'argent du beurre et… une aventure avec la crémière. « Ce que nous voulons ? Tout ! »

clamaient les étudiants révoltés de Mai 68. Une revendication joyeuse, même si le principe de réalité nous impose toujours une sélection dans ce « tout ». Prenons le choix d'être en couple : s'il ne sert à rien de pleurer sur les avantages perdus du célibat, cela signifie-t-il que nous devons nous résigner à rentrer à tout prix, même celui de l'ennui, dans la case du couple comme il se doit ? Le « pas tout » est cet espace, cette vacance, qui permet d'être avec l'autre sans que l'histoire soit déjà jouée, sans que la relation soit définie d'avance : elle reste à inventer, pour que nos libertés s'accordent, se réajustent sans cesse. Si je ne suis « pas tout » entier tenu par une image figée du couple, celui-ci va évoluer au fil du temps, rester vivant. Car souvent ce n'est pas au nom d'un principe de réalité que nous sommes amenés à modérer nos ardeurs, mais parce que nous craignons de ne pouvoir totalement assouvir nos appétits, ou pire, d'en vouloir encore plus ! Le « pas tout » laisse de la place pour le dessert, avec le risque d'être perturbé par une envie, incertaine, que nous n'aurions pas anticipée. Quoi de mieux alors, pour éviter d'être déstabilisés, que de renoncer d'emblée à nos désirs...

« On n'a pas le choix. »

S'enfermer dans la spirale imaginaire de la fatalité empêche de prendre la mesure des risques réels et concrets. Car plus que la réalité elle-même, c'est souvent l'idée que nous nous en faisons qui nous effraie. Voyez le subalterne qui reste jusqu'à 19 h 30, de peur de se faire mal voir. Lui a-t-on demandé d'être présent si tard ou pense-t-il que c'est ce que l'on attend de lui ? S'il sortait de cet ordre imaginaire, il évaluerait plus justement les risques encourus à déroger à cette attente supposée.

Dans le monde du travail, il y a toujours deux parties engagées, avec des objectifs et des intérêts différents, altérité souvent gommée dans la réalité, de nombreuses personnes perdant de vue qu'il existe des règles à respecter de part et d'autre, un contrat auquel il est bon de se référer. Si nous prenions la peine de nous renseigner sur les lois qui nous protègent, auprès des syndicats par exemple, nous réaliserions que nous sommes peut-être moins démunis que nous le pensons. Or, bien souvent, c'est l'irrationnel qui domine et nous pousse à nous soumettre à des exigences qui n'ont pas été forcément exprimées. Les expressions qui émaillent le langage courant parlent de ces renoncements : « C'est comme ça, qu'est-ce que tu veux, on n'a pas le choix... » Elles disent notre propension à rester dans une position, même inconfortable, pour ne pas mettre en péril un ordre supposé, en suivant un autre chemin. Être sujet, c'est aussi s'engager, se prononcer sur un désir qui rencontrera un autre désir, toujours différent, et avec lequel il s'agira de négocier. Cet engagement n'est pas toujours facile, et nous préférons nous en remettre à des maîtres, des guides, des protecteurs, sans nous rendre compte que cette demande nous empêche d'être acteur de notre vie.

Trop de choix, vraiment ?

Si certains se désolent de ne pas avoir le choix, d'autres se lamentent que la société aujourd'hui nous en propose trop. Comment cerner notre ambition dans cette avalanche de pistes possibles à suivre ? Écartons d'emblée les faux choix que nous vante la société de consommation, qui multiplie les offres et tente de nous persuader que la lessive X est mieux que la lessive Y. Il ne s'agit pas tant de choisir que d'adopter une manière de consommer qui satisfasse ceux qui placent leurs produits. D'ailleurs, ces choix, tout le monde ne les a pas : quand on a du mal à boucler ses fins de mois, on choisit juste la marque la moins chère... Mais ces cris offusqués devant la tyrannie du choix sont intéressants, car ils font écho à nos économies inconscientes. Ne serait-ce pas le fait d'avoir à choisir parmi les directions multiples qui s'offrent à nous qui nous effraie ? Ne serait-ce pas d'avoir à se prononcer sur notre désir, en allant ici plutôt que là, qui nous tétanise ? Et cette richesse, pouvons-nous sérieusement la regretter quand elle nous offre la liberté d'inventer au plus près la vie qui nous va ? Désormais nous pouvons, si le cœur nous en dit, travailler dans une banque le jour et troquer le costume trois pièces pour jouer dans une boîte de jazz le soir, combinaison inimaginable il y a seulement trente ans ! Ne peut-on au contraire se désoler que la plupart d'entre nous n'explorent guère les possibilités qui se présentent à eux ? Bien qu'en toute conscience, nous le réclamons, le choix est vertigineux car il est un saut vers l'inconnu. Les possibles nous inquiètent, et sans nous l'avouer, nous craignons souvent d'en abuser, de faire n'importe quoi, ce qui dans la réalité est loin d'être le cas. Prenez la possibilité de changer de sexe, est-ce que pour autant beaucoup le demandent ? Bien sûr que non. Souvenons-nous des discours qui ont accompagné la mise sur le marché de la pilule, projetant que si nous avions le choix, nous ne ferions plus d'enfant ! Internet en offre encore un bon exemple :

les sources d'informations infinies soulèvent la panique, mais le sens critique ne s'exerce-t-il pas justement à partir de différents points de vue ? Sauf qu'il faudra auparavant avoir appris à surfer, à sélectionner, à douter. Choisir nécessite toujours une éducation : nous ne pouvons pas laisser nos enfants livrés à eux-mêmes. Nous devrons leur laisser des choix, mais leur apprendre aussi à les faire, les accompagner, quelquefois ne pas les autoriser, au risque de les tétaniser. Rassurés enfant par le fait que tout ne repose pas sur leurs épaules, les futurs adultes pourront assumer leurs choix personnels. Et ce n'est en tout cas jamais en les limitant que nous rendrons les personnes plus libres, mais en leur apprenant à en user, dès leur plus jeune âge. Certaines éducations brident toutes les envies, tandis que d'autres leur laissent la porte ouverte, sans limite ni restriction : aucune de ces attitudes ne favorise l'ambition.

L'attrait de la tradition

Qu'elle est confortable cette idée qu'avant, c'était forcément mieux ! En sommes-nous sûrs ? La violence était bien plus répandue au Moyen Âge qu'aujourd'hui, les femmes et les hommes n'avaient d'autre choix que d'obéir à leurs conditions, ne pouvaient pas envisager un autre destin que celui de leur naissance, jusqu'à souvent exercer le même métier que leur parent. Mais la tradition a un immense avantage : elle présente un terrain connu, elle offre une stabilité, un avenir tracé. Le débat sur l'homoparentalité est passionnant car il agite le camp des conservateurs, qui se méfient d'une autre organisation familiale que celle qu'ils connaissent, et le camp des innovateurs, qui ne sait pas plus qu'eux de quoi demain sera fait, mais constate que les enfants élevés par des parents du même sexe ne s'en portent pas plus mal. Pour autant, aucun ne détient la vérité, nous n'avons pas encore assez de recul pour en juger, mais ne pouvons nier une réalité en marche. Pour en revenir à notre ambition frileuse, le même genre de dynamique s'observe entre ceux qui vont de l'avant, sans savoir exactement ce que l'avenir leur réserve, et ceux qui restent cantonnés à un regret éternel du temps passé, n'osant s'affranchir de barrières qu'ils ont eux-mêmes dressées. Et nous tous qui, inconsciemment, ne cessons d'arbitrer entre ces deux tendances.

Mais l'ambition, c'est sérieux !

Que dire encore de celui qui envisage son activité comme un jeu ? Nous sommes quasiment dans le crime de lèse-majesté ! Qui est-il pour se permettre de s'amuser quand les autres triment et soupirent que c'est sérieux ? Pourtant, avoir le goût du jeu ne consiste pas forcément à faire n'importe quoi, ni à dépouiller les autres au passage... Il est toujours amusant d'observer les comportements des uns et des autres en famille ou avec des amis, au Monopoly. Le premier tient toujours la banque, le deuxième vend et achète les maisons sans se prendre la tête, le troisième garde jalousement son patrimoine, autant d'attitudes qui en disent long sur leur rapport à la possession, et au risque. Or, pour que la partie soit amusante, il ne faut pas avoir peur de perdre, c'est aussi le goût du risque qui ouvre l'appétit du jeu. Si nous ne nous lancions qu'en étant sûrs d'avoir les bonnes cartes en main, nous ne jouerions jamais, nous contentant de rester sur le côté, à regarder avec envie ceux qui osent. Les êtres à l'ambition vivante, dynamique, ont toujours perdu à un moment ou à un autre, mais s'en sont remis et sont repartis de plus belle. La vie ne se joue pas à quitte ou double et la belle ambition dont nous parlons ne veut pas choisir entre la bourse ou la vie, elle veut la bourse *et* la jouissance. Elle vise la conquête, l'épanouissement, nous place du côté du gain de la vie, non en terme de salaire, de carrière, mais de cohérence avec soi. Où se situe-t-elle ?

Dans la tranquillité ou le voyage ? Dans l'installation d'une maison cossue ou dans la liberté d'aller et venir ? En matière d'ambition, nous n'avons pas tous, loin de là, le goût et le talent de diriger une entreprise. Certaines personnes n'ont guère envie de s'investir dans leur travail, leurs passions sont ailleurs, des responsabilités limiteraient trop leur temps passé à faire de la musique ou à jardiner. D'autres ont l'énergie de se battre pour leurs collègues, leur ambition est de faire bouger les immobilismes. L'important est d'assumer la place que l'on occupe, à condition de l'avoir choisie, à l'instar de cette étudiante en histoire de l'art qui raconte dans un livre[1] son parcours atypique : une fois son diplôme en poche, elle a choisi de faire des ménages, un travail qui lui convient parfaitement à plusieurs titres. D'abord, étant maniaque, nettoyer les maisons des autres ne la dérange pas. Ensuite, elle n'a pas de gros besoins financiers et enfin et surtout, cette activité lui laisse la tête libre. Pour avoir l'aplomb de ses choix, il s'agira de résister à l'image que les autres nous renvoient lorsque nous nous contentons d'un travail subalterne – selon certains critères – et qui pourtant nous convient parfaitement. Quand nous suivons notre ambition, nous faisons mieux notre travail

1. Isaure, *Mémoires d'une femme de ménage*, Points Seuil, 2012.

parce que nous y trouvons notre compte, aspirons à remplir notre mission sans râler, sans nous comparer aux autres, sans regretter une herbe plus verte ailleurs. Si le contrat est clair, sans cesse réajusté, la qualité de notre vie n'en est que plus satisfaisante.

L'impasse du sacrifice

Aller vers notre ambition ne nous fera pas faire l'économie de l'échec, d'une histoire d'amour qui finira mal, d'un travail dans lequel nous nous serons investis et qui n'aboutira pas. Notre choix va trouver ses limites, va rencontrer des ratés, des échecs qui vont nous servir à le préciser et à avancer. Le sacrifice, lui, ne mène nulle part, même s'il est commode d'entretenir l'idée de son utilité, tant nous désirons tous ardemment servir à quelque chose. Oui, nous avons servi la soupe à un mari, à nos enfants, à un patron, nous nous sommes mis en retrait, pour au final nous sentir bernés.

Mais nous préférons l'idée d'avoir été pompés, utilisés, exploités, d'avoir livré quelque chose de nous, plutôt que d'analyser la situation et nous interroger sur les bénéfices secondaires que ce rôle de martyr nous a apportés… S'il est difficile de changer une société, de mettre en place une organisation épanouissante pour tous, il est aussi difficile de sortir de son rôle d'exploité. Cette ancienne étudiante devenue femme de ménage que nous venons d'évoquer est à ce titre un cas exceptionnel et intéressant : elle joue son rôle, décide d'y trouver son intérêt, et ne se sent pas utilisée. Elle répond à une demande qui correspond à ses besoins, sans renier ce qui lui tient à cœur : l'esprit tranquille. Le sacrifice, lui, nous assure que même si nous ne sommes pas heureux, au moins quelqu'un en a profité. Certes, on s'est servi de nous, mais nous n'avons pas servi à rien ! Or la belle ambition contourne l'idée de « servir à », elle n'en est jamais le point de départ. Même si à l'arrivée nous nous retrouvons au service des autres, ce sera par choix, non par sacrifice. Le parent qui s'est consacré entièrement à son enfant attend un retour, se lamentant de l'ingratitude de sa progéniture, maugréant « avec tout ce que j'ai fait pour toi »... Ce à quoi elle lui répond très justement : « Je n'ai rien demandé. » Aucun enfant n'attend de son parent un tel renoncement : c'est ce dernier qui a cru trouver dans ce sacrifice un sens à son existence et une récompense.

L'AMBITION MUSELÉE

Le poids des conditions de travail

Établissons d'emblée une différence entre ce que notre crise actuelle offre de confortable sur le plan névrotique, et les difficultés réelles de la vie. Certes, même si le discours sur la crise maintient les troupes dociles, même si ceux qui en parlent souvent ne représentent pas toujours la population qui en souffre le plus, il ne s'agit pas de faire comme si ces freins extérieurs n'existaient pas, au risque de tomber dans l'illusion du « qui veut, peut ! » si chère aux Américains. Dans un très beau témoignage[1], Jean-Pierre Martin, un intellectuel établi dans les années 1970, raconte le travail harassant de l'ouvrier, le corps essoré,

1. *Le Laminoir*, éditions Champ Vallon.

l'esprit liquéfié par des tâches éreintantes. Il dit combien il lui a été difficile d'exister comme sujet dans de telles conditions.

Quand la journée se passe à exécuter des gestes répétitifs, sans intérêt, il devient presque impossible d'avoir la distance obligée pour mener une quelconque réflexion sur ce que l'on veut pour sa vie. Il n'empêche : la pressurisation actuelle fait oublier la dimension contractuelle du travail, toujours à rediscuter, même si le contexte restreint les possibilités d'aménagement. Pour autant, gardons-nous d'idéaliser le passé. Les patrons d'antan connaissaient peut-être le prénom de leurs ouvriers, mais les infantilisaient, leur rappelant sans cesse combien ils leur étaient redevables, comme en témoigne le philosophe Michel Onfray : « J'habitais dans un petit village de 500 habitants qui ne vivait que d'une fromagerie dont le patron était de droit divin. Il possédait la ferme où mon père était ouvrier agricole, le château où ma mère était femme de ménage, et aussi une bonne partie des enfants naturels du village ! Il était propriétaire de toutes les maisons qu'il louait à ses ouvriers en prélevant directement le loyer sur leur salaire, qui était déjà misérable. Mais c'était un paternaliste, avec le meilleur et le pire. Quand ma grand-mère a eu un cancer, il a proposé sa voiture pour qu'elle aille faire des rayons. Comment s'opposer à un homme qui s'est conduit ainsi ? Lui en vouloir, cela aurait signifié beaucoup d'ingratitude. »

Pour que les relations professionnelles fonctionnent au mieux, il faudrait que le salarié qui a la bougeotte voyage, qu'il puisse toucher à tout, qu'un autre, plus tranquille ou plus timoré, ait une routine qui le rassure. Malheureusement, dans la plupart des postes, l'individualité est négligée au profit d'un moule dans lequel tous devraient rentrer, alors que la productivité serait meilleure si chacun pouvait travailler selon ses dispositions personnelles. Les trentenaires, qui ont intégré la notion de crise, de mobilité, passent pour des ingrats car ils estiment ne rien devoir à un patron qui risque à tout moment de les virer. Ils acceptent un poste avec un objectif précis, une envie de se perfectionner dans tel et tel domaine. Ils osent faire différemment, interroger leur désir de rester ou d'aller voir ailleurs, attitude vécue comme une accusation par ceux qui ne s'autorisent pas une telle liberté. Cette génération agace, déconcerte, elle est accusée de laxisme ou de légèreté, mais elle est surtout moins docile, et ce qui paralysait les plus anciens ne lui fait pas forcément peur. Une attitude qui oblige d'ailleurs les employeurs à se remettre en question et à inventer de nouveaux managements pour gérer cette énergie…

Le poids du milieu social

Dans les milieux défavorisés, où l'horizon apparaît bouché et les possibilités restreintes, il est plus difficile de suivre son ambition, plus laborieux d'entendre la petite voix de son désir, le sujet ayant plus de mal à s'affirmer, d'autant que les gens eux-mêmes perpétuent ce discours fataliste, repris en boucle par les médias. Dans son dernier roman, *Les Lisières*[1], le romancier Olivier Adam confie qu'adolescent, il ne savait même pas qu'une école comme Sciences-Po existait, encore moins qu'il aurait pu y aller. Il ne s'agit pas seulement d'information, mais d'autorisation à projeter l'idée même d'une telle possibilité. Notons quand même que si cette autorisation – que l'on s'accorde à soi-même – est en porte-à-faux avec certaines valeurs familiales, la bataille sera rude, quel que soit le milieu. Caresser l'envie d'être ébéniste dans une famille d'avocats n'est pas plus facile que d'envisager une classe préparatoire du fond de sa banlieue. Ce romancier compare les adolescents qu'il a fréquentés aux adultes qu'il croise aujourd'hui, pour constater que la plupart ont été rattrapés par une histoire écrite d'avance. Certains s'en trouvent très bien, d'autres en souffrent. Étant empêchés socialement d'avoir

1. Olivier Adam, *Les Lisières*, Flammarion, 2012.

une quelconque ambition, surtout celle de faire autrement et ailleurs, certains jeunes des cités se vengent sur les femmes, dans une tentative désespérée de s'assurer des valeurs de force, de puissance. La recrudescence actuelle du machisme n'arrive pas dans n'importe quel milieu, mais là où la détresse est la plus grande. Se raccrocher à une répartition traditionnelle et rassurante des rôles leur donne le sentiment d'exister sur ce terrain comme hommes. Sans travail, sans perspective d'avenir, sans reconnaissance, le seul pouvoir qui leur reste est celui qu'ils exercent sur l'autre sexe. Les codes les plus archaïques resurgissent, avec un retour du religieux qui vient légitimer l'oppression des femmes, qui n'ont plus qu'à se taire ou à se voiler, signe d'une régression inquiétante. Quant aux filles, elles essaient de s'en sortir sans faire de bruit, en poursuivant des études qui les libéreront un jour de leur joug. Il n'est pas certain que ce soit les hommes qui sortent gagnants de ce combat... Autrefois attendus sur le terrain de la réussite scolaire, puis universitaire et sociale, beaucoup les désertent aujourd'hui, notamment les plus défavorisés. Le linguiste Alain Bentolila raconte qu'un jour, en visite dans une classe où la maîtresse faisait une leçon de vocabulaire, les élèves devaient trouver un mot précis pour en remplacer un autre plus vague. Quand le chercheur, jouant le jeu, en propose un lui-même, des rires fusent : « Eh, monsieur, ça, c'est un mot de fille ! » Le culturel est facilement catalogué comme féminin, donc dévalorisé. Faudra-t-il mettre un jour des quotas en fac de médecine parce que 70 % des étudiants sont aujourd'hui des étudiantes ? Ce qui peut passer pour une revanche sur le monopole jadis exercé par les hommes est la perpétuation d'un déséquilibre qui ne satisfait personne.

Des mots et de l'amour

La difficulté à trouver les mots pour exprimer son ambition est sans doute un de ses plus grands freins, car ce sont eux qui traduisent le mouvement, la mobilité de l'inconscient. Comment dire ses rêves en restant dans un langage codifié, des expressions limitées et des définitions précises ? Il faut déjà pouvoir se parler à soi, être capable d'envisager et d'énoncer ses envies profondes et intimes. Sans cet accès aux mots, nous sommes pris par la fatalité de notre condition, d'un monde qui marche ainsi, que l'on ne va pas refaire, autant d'assertions assassines d'ambition. Il n'est pas étonnant que parmi ceux qui s'en sortent figurent les chanteurs de rap, qui osent les mots les plus crus ou réinventent la poésie, les humoristes qui, avec leur bagout, transcendent ce qu'ils ont vécu, en font une œuvre parfois porteuse d'un message. La lutte des classes se joue toujours dans la façon d'occuper la parole – le succès d'un Jamel Debbouze en témoigne. Avec un incroyable culot, il a osé pousser une porte à dix-neuf ans parce qu'il a rencontré un prof qui l'a aidé à transformer son énergie en acte créatif. On ne dira jamais assez le bienfait de ces rencontres. Question de chance ? Certains les voient et s'en saisissent, d'autres, devant les mêmes opportunités, font barrage ou les laissent passer. D'autres encore vont les chercher, se démènent. Il est très instructif d'observer de jeunes enfants, ceux chez qui on sent un appétit, une curiosité, une envie d'en découdre avec la vie, tandis que d'autres ont déjà la flamme vacillante. Ces derniers seront-ils moins ambitieux ? Pas sûr non plus. Le monde est inégal, mais l'échec n'est jamais fatal. L'éducation est fondamentale, mais là encore, c'est un privilège de s'interroger sur son rôle de parent. Dans certains lieux, la fatigue d'un travail harassant, les soucis d'argent ne le permettent pas, ou trop peu, et l'amour, même s'il est présent, a du mal à se frayer un chemin jusqu'aux enfants. « J'ai eu besoin des mots parce que les familles malheureuses sont des conspirations de silence », note Jeanette Winterson. Ce sont les mots qui ouvrent des accès et nous donnent des ailes : si nous n'avons pas profité de cette confiance, le déploiement de sa propre ambition sera plus ardu.

« *Vu à la télé* »

Posez la question à des adolescents de quatorze ou quinze ans, bien souvent, ils rêvent d'être footballeur ou de passer à la *Star Ac'*... Cette ambition de célébrité, de reconnaissance, ce rêve d'être « vu à la télé » concernent souvent les plus jeunes, ceux qui ne savent pas quelles sont leurs envies, ou n'imaginent pas en avoir. La notoriété leur épargnerait, pensent-ils, la responsabilité de s'interroger et de chercher à exister par eux-mêmes, d'une façon qui leur serait propre. Lorsqu'elle perdure au-delà d'un certain âge, cette aspiration concerne bien souvent une population qui ne dispose pas d'une grande culture, ne sait pas comment exister autrement. Dans les banlieues, le rêve d'être humoriste est caressé par beaucoup, qui y voient une façon de gagner facilement de l'argent et d'avoir cette reconnaissance dont ils manquent tant. Seulement voilà, tout le monde n'a pas le talent de faire rire, beaucoup se fantasmant en bête de scène sans jamais s'y être essayé, de près ou de loin, dans la réalité. Prenons encore les émissions de cuisine, qui fascinent un large public. Pour devenir Chef, il ne suffit pas de réussir un plat, ni même d'avoir un don culinaire, il faut aussi savoir manager des équipes, avoir des notions de gestion. Et peut-être surtout faut-il en avoir une envie qui dépassera largement la rudesse de la réalité de ce métier. Des émissions comme *Secret Story* sont formatées pour ces jeunes en mal d'ambition, en dehors de celle d'être regardés, où ils s'appliquent à rentrer dans les caricatures qu'on leur impose. Même ceux qui accèdent au panthéon n'y trouvent pas toujours leur bonheur, à moins d'avoir eu le flair et les moyens psychiques d'en faire un moyen et non une fin, à l'instar d'Olivia Ruiz qui s'est servie de la *Star Academy* pour faire décoller sa carrière. Dès le départ, elle savait ce qu'elle voulait et a tenté ce passage-là parce qu'il lui était accessible.

Un miroir aux alouettes

Une telle démarche se révèle pourtant périlleuse, car la télévision est un miroir aux alouettes dans lequel beaucoup vont se perdre. Ce qui faisait l'originalité de leur projet va bien souvent être broyé par des exigences de l'audimat ou la conformité aux soi-disant attentes d'un public supposé, la singularité faisant toujours trembler les directeurs de chaîne. Cela dit, soyons honnêtes, beaucoup d'entre nous aspirent à être reconnus dans leur domaine, voire célèbres... et encore plus ceux qui prétendent le contraire ! Mais cette notoriété va-t-elle se faire sur le dos de notre désir ? C'est la seule question valable. Il faut une belle force de caractère pour résister au rouleau compresseur de la célébrité, aux demandes d'un milieu qui vous adule et vous enferme dans ses projections aux dépens de vos propres désirs. Plus l'exposition est importante, plus la demande des producteurs, du public est forte, plus le risque de dérive est grand. C'est encore cette lutte que raconte le film *Superstar* : Kad Merad, devenu célèbre sans rien faire, va servir de révélateur à Cécile de France. N'aimant pas ce que la télévision est en train de faire d'elle, elle quitte son poste pour revenir au journalisme, sa véritable ambition. Pourtant, quand demande du public et désir du sujet se rejoignent, ce qui arrive aussi, cette conjugaison peut offrir de belles surprises. C'est le cas du film *Intouchables* où une bande de copains monte un film sur le handicap, sujet à faire fuir tous les investisseurs, et qui pourtant cartonne au box-office, alors que l'équipe n'a rien cédé sur son projet d'origine. Cette dictature des médias n'est pas non plus une fatalité. Elle n'empêche pas des artistes célèbres comme Catherine Deneuve et Jeanne Moreau d'être libres et de garder vivace leur audace en tournant des premiers films de réalisateurs inconnus. Peut-être un futur Orson Welles est-il en train de naître ? se demande toujours Jeanne Moreau. Juliette Gréco racontait encore comment elle s'était approprié la chanson *La Javanaise* de Serge Gainsbourg, qui ne rencontrait aucun succès. Elle l'aimait tant qu'elle a continué à la chanter dans l'indifférence générale, jusqu'à ce qu'elle devienne le tube que l'on connaît aujourd'hui. Elle n'a rien lâché de son plaisir à la chanter et de son désir de la révéler au public.

D'AUTRES AMBITIONS QUE LA MIENNE

> « "Ne rêve pas !", me disait mon père, quand j'étais enfant. Et que j'osais encore en faire à ma tête, sans lui demander chaque fois la permission. Un courage que j'ai peu à peu perdu.
> "Ne rêve pas !" C'est moi qui ai commencé petit à petit à me le répéter. »
>
> Michela Marzano

Freins conscients, freins inconscients

Les freins conscients sont à distinguer nettement des freins inconscients. L'éducation, la culture, le milieu dans lequel nous avons grandi, ses valeurs – chaque classe sociale ayant sa conception de l'ambition – sont des facteurs dont finalement nous nous débrouillons le mieux, nos réticences, pour peu qu'on y réfléchisse, pouvant être repérées en toute conscience. Ainsi, s'autoriser à quitter une classe sociale, que ce soit en s'élevant dans la hiérarchie, ou pas, peut devenir un choix assumé, comme cet homme qui décide de devenir pâtissier dans une famille de médecins, ou celui issu d'une famille de fonctionnaires qui opte pour une vie de saltimbanque. Ces orientations atypiques – vécues souvent comme des « sorties de route » – soulèvent de vives discussions au sein des familles, des incompréhensions ou des fâcheries, mais ne posent pas de difficultés insurmontables. Les freins inconscients, eux, sont plus problématiques car, par définition, nous n'avons pas conscience qu'ils nous gouvernent.

D'ailleurs, de quel inconscient parlons-nous ? Le mot est entré dans le langage courant, sans être toujours employé à bon escient et il est bon de revenir sur sa définition. Pour le courant lacanien, il s'agit d'une chaîne de signifiants, de sons qui font sens, de mots, d'événements, qui sont comme des points de marquage dans notre passé, dans l'histoire de nos parents, et avec lesquels nous allons tricoter la nôtre. Parfois, ces points deviennent si rigides, si ancrés qu'ils se transforment en points névrotiques, nous empêchant de reconsidérer leur sens et d'agir librement. De façon inconsciente, nous voilà pris dans un réseau d'interprétations, de signifiés que nous associons aux différents signifiants. De fait, si consciemment nous sommes à peu près d'accord sur la signification d'un mot, dans l'inconscient ce signifiant correspond à un signifié propre à chacun. Le terme « ambition » n'échappe pas à cet écart. Car si dans une conversation nous croyons tous parler de la même ambition, ce mot va-t-il être inconsciemment accolé à de la cruauté, à de l'ingratitude, ou à une réussite tellement haut placée que nous ne pourrons pas nous autoriser à briguer la nôtre ? Qu'en avons-nous entendu ? Qu'en disaient nos parents ? Qu'en ont-ils eux-mêmes entendu dans leur enfance ? Qu'en avons-nous compris ? S'instaure alors une chaîne de sens à partir de laquelle nous menons nos vies, sans nous en rendre compte, à l'instar de cet homme qui va s'empêcher de gagner plus que son géniteur : ce saut de marche ébranlerait la stature du père et il ne s'y risque pas. Dans la réalité, il affirmera haut et fort : « Moi, je veux de l'argent ! » Mais, comme par hasard, retenu par ses résistances inconscientes, il va en perdre plus largement qu'en gagner, ou très vite dilapider ses gains. La formule « tuer le père » prend ici tout son sens, car il n'est pas si facile de se dégager de ces interdits non formulés qui pèsent sur nos vies. Les répétitions inconscientes sont bien plus fréquentes et handicapantes que les résolutions que nous prenons haut et fort, au risque que ces freins se rejouent de génération en génération… C'est ainsi que dans certaines familles, les faillites se succèdent : réussir une entreprise serait désavouer les parents, grands-parents, ce serait trahir le mythe familial. Il est difficile de briser ces chaînes de fatalité, car cela revient à casser l'idole parentale, entreprise toujours douloureuse, même si dans la réalité nous sommes en conflit avec eux, ou avons pris un tout autre chemin. C'est l'histoire de cet homme, fils d'un entrepreneur ayant accumulé les désastres financiers toute sa vie et qui, bien qu'ayant choisi un poste de fonctionnaire, se trouve toujours à la limite de l'interdit bancaire. C'est le drame de cette femme qui rêve de travailler, mais a toujours mille et une raisons pour refuser les postes qu'on lui propose car, inconsciemment, elle ne veut pas satisfaire une injonction de sa mère qui lui ordonnait d'être une femme autonome.

Le poids de l'éducation

L'éducation joue un rôle important dans notre capacité à aller ou pas vers notre ambition, même si dans une fratrie, chacun se distingue de l'autre. Le même moule ne donne jamais le même gâteau, sauf à avoir subi une éducation extrêmement rigide. Ainsi, le film *Le Ruban blanc* de Michael Haneke montre bien comment fabriquer des petits nazis en brisant une enfance par une somme d'humiliations et de violences, le tout sur un mode feutré, étouffé, subi en silence, sous couvert de religion et d'éducation indiscutable et louable. Cela donne effectivement des petits robots d'abord, de grands nazis ensuite et raconte, *a contrario*, la qualité de l'enfance à préserver et par-delà, plus largement, une société. Si nos enfants, tout en étant cadrés, ne sont pas écoutés, si leur épanouissement n'est pas favorisé, ils ne pourront pas devenir des adultes entreprenants, généreux et ouverts. La capacité à suivre son ambition, sans nuire aux autres, commence là. Mais l'éducation véhicule à notre insu ce qui se transmet le mieux de génération en génération, à savoir nos névroses... Si nous ne nous autorisons pas cette écoute de soi, comment parvenir à la développer chez nos enfants ? Projeter nos ambitions sur eux est aussi un moyen de ne pas nous questionner, au risque de les charger égoïstement des désirs qui ne sont pas les leurs, pour tenter inconsciemment de sauver ce que nous n'avons pas réussi. Notre enfant risque alors de ne devenir qu'un prolongement de nous-mêmes. La psychanalyse sert à briser cette chaîne de répétition névrotique, c'est la raison pour laquelle elle fait si peur, tant cette structure familiale, imaginaire, est ancrée ! Pourtant, une fois nos chaînes inconscientes brisées, nous pourrons organiser notre vie sans être entravés par la frustration, le malheur, et vivre au sein d'une famille sans que d'obscures culpabilités ou d'incompréhensibles ressentiments ne polluent nos relations.

La partie n'est jamais jouée...

Cela dit, gardons-nous de toute idée de fatalité. Certes, il existe un terreau de l'enfance, mais nous pouvons avoir vécu dans les pires conditions et avoir préservé cette force qui va nous permettre d'y survivre et de suivre notre ambition. C'est ce que raconte la romancière Jeanette Winterson dans son formidable livre *Pourquoi être heureux quand on peut être normal ?*[1] Alors qu'elle a eu une enfance chaotique, violente, elle y puise une énergie, une ambition exceptionnelles, dans des conditions qui, *a priori*, ne le permettaient pas. Peut-être même, souligne-t-elle, non seulement cette enfance ne l'a pas empêchée d'oser, mais sans elle, elle n'aurait sans doute pas été aussi ambitieuse. Maltraitée, mauvaise à l'école, elle décide d'être un grand écrivain, d'entrer à Oxford et y parvient. Son livre montre comment son ambition irraisonnée, voire

1. Éditions de L'Olivier.

irréaliste, la tient en vie, sur un mode conquérant. Bien sûr, elle traîne derrière elle quelques casseroles, notamment sa grande difficulté à aimer, mais elle n'a pas renoncé. Cette enfance fait partie de sa vie, de son histoire, et sans nier l'environnement terrible dans lequel elle a dû se débattre pour s'en sortir, elle parle de ce que l'on peut en faire. Peut-être a-t-il nourri sa créativité, l'a-t-il obligée à se singulariser, quand cette singularité nous fait souvent si peur ? Pour certains, la seule chance de survie est de se distinguer. Qu'est-ce qui permet cette force de vie, à un moment donné ? Souvent, nous l'ignorons, mais quand elle est là, nous ne nous posons guère la question de savoir d'où elle vient. Nous nous questionnons quand elle est encore balbutiante, non totalement assumée. Il est toujours passionnant d'observer ce que fait chacun de nous d'un parcours dramatique. Le film *The We and the I* de Michel Gondry raconte le trajet en bus de lycéens, à travers Harlem, un dernier jour de classe avant les grandes vacances. Malgré la violence de ce milieu, le manque de perspective pour ces jeunes, une formidable énergie circule, même si l'histoire pointe combien il est difficile pour eux de quitter un « nous » rassurant, mais limité, pour faire émerger leur « je » unique. Nous le constatons tous quand nous nous retrouvons dans des dîners qui rassemblent des personnes exerçant le même métier : très vite, un consensus s'instaure, on cherche les approbations mutuelles, on est bien entre soi, qu'on soit journaliste, prof ou commerçant...

La valse du Ça, du Moi et du Surmoi

Pour comprendre la façon dont nous pouvons être le jouet de nos freins inconscients, revenons sur la définition des trois instances : le Ça, le Moi et le Surmoi. Le Ça est une pulsion de vie, une énergie puissante qui est souvent présentée comme menaçante. Si nous le laissons aller, où va-t-il nous entraîner ? Ne va-t-il pas devenir une force incontrôlable, voire dangereuse ? C'est là que le Surmoi entre en scène pour servir de garde-fou, pondérer les ardeurs du Ça qui, sans lui, se moquerait du principe de réalité ! Quant au Moi, mobile et au carrefour de ces deux énergies, il se fait le porte-voix de l'un ou de l'autre, selon celui qui domine. Ces trois instances nous constituent, nous traversent et nous allons tendre vers notre ambition en les réajustant sans cesse, sans que l'une écrase l'autre, ce qui est souvent le cas. L'écueil ? Que le Surmoi domine le Ça, ravale nos envies et notre élan, au risque d'un retour du refoulé. C'est toujours le plus coincé à jeun qui montre ses fesses quand il a bu un coup de trop, car le jour où il lâche les rênes du Ça, le cheval s'emballe... Or ce n'est qu'en nous autorisant à nous approcher de ce qui nous fait envie que nous pourrons conforter notre désir ou le réajuster, en sachant que la peur nous retient bien plus que ce qui se produirait dans la réalité. Quand le Ça va dans un sens et le Surmoi dans l'autre, la tension est plus facile à pointer, mais quand le Surmoi et le Ça n'indiquent pas des directions contradictoires, le repérage est plus compliqué à débusquer. Le premier ordonne un parcours de réussite sociale qui plaît bien au second, mais pour des motivations différentes ? Cette apparente harmonie peut se révéler tétanisante, si nous nous sentons assujettis. Que dire encore de cet homme qui nous plaît et correspond en tout point à la figure du gendre idéal ? Il nous séduit, mais notre mère en raffole, les copines nous envient... Est-ce que je suis amoureuse de cet homme ou de l'image qu'il me renvoie, ou encore parce qu'il incarne le copain parfait qui ne va rien déranger ? L'injonction de réussite pose problème parce qu'elle nous vole notre désir, et qu'il va nous falloir composer avec elle. Oui, notre ambition semble répondre à une norme, mais n'en sera pas le moteur essentiel. Oui, nous allons reprendre l'entreprise familiale, comme le souhaitait notre père, mais à notre façon, ce n'est que de cette manière que l'ambition sera vivante.

Se défaire du Grand Autre

Nous en arrivons à l'expression clé de l'ambition : quelle autorisation nous accordons-nous pour aller vers notre désir ? Pour y parvenir, il va nous falloir nous dégager de ce regard du Grand Autre, tel que l'a défini Jacques Lacan. Incarné par une autorité parentale imaginaire, un ordre des choses susceptible de nous dicter le bien et le mal, ce Grand Autre nous évite surtout de nous demander ce qui nous fait du bien ou du mal. Pour aller vers notre ambition, nous aurons à faire tomber cette parole qui, sans que nous sachions d'où elle vient, nous susurre « il faut », « c'est comme ça, et pas autrement ». Nous aurons à nous défaire des modèles, des sentences, des demandes et attentes supposées, des interdits – plus confus que concrets – que nous n'avons pas osé transgresser. Bien souvent, nous sommes pris dans une grille d'ordre et de contrordre, car l'inconscient ne souffre nullement de la contradiction et se moque bien du principe de réalité ! Oui, nous pouvons aspirer à être danseuse et fonctionnaire, vouloir l'aventure et la sécurité, aimer le vert et ne pas l'aimer... Comment démêler l'écheveau ?

Comme nous n'arrivons pas à nous dépêtrer de ce piège, nous préférons fuir l'ambition, évitant de nous confronter à nos motivations parfois paradoxales. Arrêtons-nous un moment sur ces freins inconscients, pour nous attarder sur les bénéfices qu'ils nous procurent. Pourquoi les cajolons-nous ? Pourquoi n'osons-nous pas nous affronter, voire dépasser un modèle qui n'a rien d'obligé ? Pourquoi avons-nous tant de mal à déboulonner cette autorité, en référence au rôle parental dans tout son imaginaire ? Parce qu'elle nous prend par la main, nous évite le dilemme du choix, le poids d'en assumer la responsabilité. Même si en toute conscience nous en appelons à la liberté, cette domination est inconsciemment rassurante, comme elle nous rassurait quand nous étions enfants. Ce sont encore les reproches que nous adressons à la société, quand nous réclamons à l'État de nous prendre en charge, autant de murs contre lesquels nous nous cognons, nous pestons, mais qu'à notre insu nous dressons et qui nous servent de garde-fous…

Malheureusement, quand il est trop puissant, ce Grand Autre nous conduit à répondre à des attentes qui ne sont pas les nôtres, dans l'espoir vain d'être aimé, reconnu, comme lorsque nous voulions rapporter une bonne note à la maison. Nous ne pouvons alors nous dérober à ces études qu'il *faut* suivre, aux exigences d'un patron qu'il *faut* satisfaire, aux attentes de notre petit ami à qui il *faut* plaire, bref, tout ce qui nous rassure, mais nous éloigne assurément de notre propre désir ! Sans compter que cette énergie réclamée par les autres, ou que nous croyons telle, est très fatigante... Nous y avons tous été confrontés enfant quand nous avons cru comprendre qu'il fallait nous comporter de telle ou telle façon pour que notre entourage soit content, efforts qui n'ont pas forcément porté leurs fruits, mais dont nous avons aujourd'hui du mal à nous départir. Nous sentons bien que nous sommes tenus par une exigence obscure, qui n'a pas forcément de réalité ou de justification, sans arriver à nous en dégager, attitude qui nous fait fonctionner à contre-courant de nous. Le névrosé se signale souvent par sa volonté d'entrer dans le rang – un concept des plus vagues ! – devant cette souffrance de ne pas être comme les autres, nous entendons toute l'énergie dépensée pour entrer dans le moule, répondre à la demande, ravaler sa propre ambition. Cela dit, pour être et devenir, nous ne pouvons nous passer d'un regard. En son absence, l'enfant ne se développe pas, il lui manquera cet indispensable échange. Notre élaboration de sujet va se faire « grâce à » ce regard, « avec » ce regard, mais aussi « indépendamment » de ce regard, qu'en grandissant, nous intégrons, et qui est l'expression de nos jugements et autocritiques permanents. S'il nous fige, si nous nous épuisons à nous y opposer ou à réclamer son approbation, nous allons nous diluer. Pour conquérir notre ambition, il va nous falloir nous affranchir de cet œil imaginaire, perçu comme aimant, menaçant ou indifférent, et tenir à distance ces demandes réelles ou supposées.

Quand demande et désir se rejoignent

Quand la demande extérieure tend vers le même but que notre désir profond, la situation crée un dilemme plus pernicieux, nous venons de l'évoquer. C'est ce jeune graphiste qui veut réussir dans la mode mais se trouve pris dans des injonctions qui le coincent, à commencer par celles de sa mère qui s'occupe de lui trouver des contacts. Se sentant dépossédé de son désir, il refuse qu'elle s'en mêle, ce qu'elle prend pour un refus de réussir. La libération, le succès peut-être, arriveront le jour où il fera confiance à son propre style, où il obéira à une logique qui sera la sienne, pas celle de sa mère, tout en sachant profiter de ses contacts et de son aide. Un fils veut être avocat et c'est le rêve de son père ? Tout va dépendre de la pression que ce dernier exerce sur lui. Aura-t-il la latitude d'inventer le pas de côté pour s'approprier son projet professionnel, exercer son métier à sa façon ? Cette coïncidence

– qui n'est pas rare dans la constellation familiale – peut devenir un piège s'il ne remet rien en question, si le fils alimente les projections paternelles. Dans *Légère comme un papillon*[1], la philosophe Michela Marzano raconte comme elle a été piégée par son père qui avait tracé son destin, lui demandant d'être exceptionnelle. Son histoire illustre bien comment l'ambition personnelle peut être minée par des injonctions qui ne suscitent que de la confusion dans la réalité. Lacan le dit lorsque le Ça veut jouir, si le Surmoi le lui ordonne, le sujet se coupe de sa jouissance. Nous retrouvons encore ces injonctions dans l'éducation où tout nous pousse à oser, à réussir : seulement voilà, cette invitation est tellement pressante que l'inconscient va l'interpréter comme un ordre aliénant et s'en détourner, ou bien s'y perdre. Michela Marzano a réglé cet impossible conflit en glissant vers l'anorexie, une façon de dire « je suis brillante, comme papa l'exige, mais une partie de moi disparaît, jusqu'à me mettre en danger de mort ». Une carrière intellectuelle l'attirait, mais en lui ordonnant de réussir, son père a contrecarré son ambition première et sa manière forcément personnelle de la vivre. La nôtre peut finir par nous échapper en se trouvant enfermée dans une coque trop rigide.

1. Éditions Grasset.

S'affranchir du jugement des autres

L'art aide à comprendre la fonction du regard de l'autre, car toute œuvre est faite pour être vue. Comment l'artiste se positionne-t-il par rapport à ce regard ? Comment se débrouille-t-il pour ne pas en être entravé ? Comment résiste-t-il à l'approbation inconditionnelle ? Nombreux en appellent à une reconnaissance, mais n'étant pas aimés comme ils le voudraient, rejettent tout regard aimant. Dans leur système névrotique, il est plus simple que l'autre soit forcément hostile. Bien souvent, ces créateurs cultivent la posture de l'artiste maudit, cherchent sans se l'avouer une approbation, pestent quand ils la trouvent, car ce n'est jamais la bonne... Pourtant, s'ils pouvaient travailler dans un certain isolement, sans vouloir à tout prix être compris et aimés, leur création s'en porterait bien mieux.

Picasso reste une figure emblématique à cet égard. D'une arrogance forcenée, il osait casser ce qu'il était en train de faire pour partir dans une autre direction, prenait le contre-pied des règles en vigueur, suivait son ambition d'artiste sans se préoccuper des attentes. D'ailleurs, quand un artiste répond à une demande pour être sûr d'être entendu, en est-il encore un ? Et qu'en est-il de celui qui veut garder son rêve intact et évite toute remise en question et confrontation avec la réalité ? Les véritables artistes sont souvent décevants : demandez-leur s'ils sont contents de l'accueil de leur livre, de leur film, ils vous parleront du projet sur lequel ils travaillent, car c'est en écrivant, en filmant, qu'ils se sentent le mieux, la marche les intéresse plus que le but. Aucun artiste ne se sent définitivement arrivé à bon port et ils s'épanouissent davantage dans le processus créatif que dans le verdict des autres, sans compter que le public leur suppose une intention qui n'était pas souvent la leur ! Le regard du lecteur, du spectateur compte pour eux, mais n'est pas déterminant. Pour arriver à écrire, à peindre, à faire un film, il faut parvenir à faire fi de l'accueil à venir pour se demander : est-ce que j'ai envie de mener ce projet à bien ? Est-ce qu'il m'intéresse ? Est-ce que ce thème m'excite ? Créer dans le seul but d'être reconnu, dans la logique de la bonne note à ramener, ne fonctionne pas, ou d'une façon qui ne comblera pas le créateur. Seule l'excitation du présent compte et l'artiste peut alors composer avec le regard de l'autre, sans en faire le seul moteur.

Vis ma vie

Nous sommes dans une société de non-défi, de non-douleur. Les parents veulent parfois tellement aplanir les difficultés que beaucoup d'enfants finissent par ne plus savoir vers quoi se tourner et ont un mal fou à sortir du cocon. La tâche bien difficile de tout parent est d'encourager, sans être complaisant, d'accepter que notre enfant morde la poussière de temps en temps, seule façon pour lui de prendre son espace, tout en lui évitant quelques catastrophes, dans un tricotage incessant. Bien sûr, nous avons des attentes, des espoirs pour lui, mais jusqu'où ? Dans quelle mesure sommes-nous trop présents, pas assez, quelle latitude lui laissons-nous ? Pour compliquer notre mission, les injonctions inconscientes s'en donnent à cœur joie, nous venons de le voir. Et l'idée de leur offrir ce que nous n'avons pas eu ne marche jamais. On pense à tous ces sportifs dont les parents se sacrifient pour la réussite de leur rejeton, le poussant à gagner des médailles qu'ils auraient tant voulu obtenir eux-mêmes, ou encore à cette mère, interprétée par Anna Magnani dans *Bellissima* de Luchino Visconti qui, au risque de briser son enfance, se démène comme une diablesse pour faire de sa petite fille l'actrice qu'elle aurait rêvé de devenir.

Heureusement, prenant conscience de la folie qu'elle est en train de commettre, et alors que sa fille est sélectionnée, elle refuse de la livrer en pâture à l'industrie du cinéma. Beaucoup de mères hélas sont prises dans ce même délire d'injonction inconsciente : « Ma fille, sois heureuse pour moi ! », avec toute la culpabilité et le chagrin dont cette dernière est accablée quand elle n'y parvient pas. Le père de Michela Marzano, lui répétait sans cesse qu'elle était la meilleure, qu'il ne doutait pas d'elle. Mais ces messages, au lieu d'être porteurs, se sont révélés écrasants parce qu'ils ne lui laissaient aucune marge de manœuvre, aucune possibilité d'hésiter ou de trébucher.

Ne me dépasse pas

À l'inverse, certains parents ne veulent pas que leurs enfants les dépassent. Tout en étant très aimants, ils s'arrangent pour garder cette supériorité archaïque, avec une volonté non avouée que l'enfant reste sous contrôle. Le message qu'ils transmettent inconsciemment ? « Ne bouge pas trop, sinon tu me déranges dans l'idée que je me fais de moi-même », l'éducation renvoyant toujours à nos propres questionnements, refoulements, angoisses. Certains parents, qui se sont construits sur une revanche sociale, une conquête qu'ils entretiennent jalousement, à l'image de ces entrepreneurs qui se sont élevés à la force du poignet, ont des enfants qui ne réussissent rien, tandis que dans d'autres familles, comme chez les Leclerc, le flambeau s'est transmis avec succès d'Édouard à Michel. Les variantes sont infinies entre les parents qui, inconsciemment, laissent entendre « je n'ai pas pu, tu ne pourras pas non plus », ou « j'ai pu, tu ne pourras pas », ou encore, « je n'ai pas pu, fais-le à ma place »... Chacun de nous doit composer avec cet héritage, faire le tri entre les différentes projections : qu'est-ce que mes parents me demandent ? Qu'est-ce que j'imagine qu'ils me demandent ? Trouver sa voie, c'est arriver à se faufiler entre ces invitations ou injonctions, concrètes ou inavouées. Parfois, il nous faudra régler le dossier « attentes de papa », « espoirs de maman » pour enfin parvenir à ce qui nous plaît vraiment. Peut-être que cet ingénieur qui rêvait de monter sur des planches ne pouvait pas le faire quand il était jeune : il a attendu d'être à la retraite pour assumer son ambition et devenir acteur. Et même si l'on peut trouver dommage qu'il n'ait suivi son désir qu'à soixante-cinq ans, il n'est jamais trop tard – nous y reviendrons à la fin de cet ouvrage. A-t-il perdu son temps ? Pas forcément : il a fait son métier avec la fantaisie qui grondait en lui, et finalement ne s'est pas ennuyé dans son travail, certains de ses freins s'étant levés en cours de route. Il arrive parfois qu'on ne puisse pas faire l'économie de longs détours sur le trajet qui mène à son ambition, et c'est souvent en prenant des chemins de traverse que nous la poursuivons. Quoi qu'il en soit, être porté par une certaine dose d'amour et de confiance est précieux, même si la bienveillance peut couvrir des raisons inavouables, à l'image de ces mères qui encouragent une féminité très précoce, manière de continuer à tenir les rênes... Sauf que pour accéder à la sienne, la fille devra bousculer la féminité de la mère, lui demandant implicitement de se ranger un peu sur le côté. La mère, elle, devra être suffisamment sereine pour jouer le jeu sans renoncer à la sienne, tout en lui faisant comprendre qu'il y a de la place pour deux. En grandissant, c'est le rôle de l'enfant de déboulonner le parent de son statut imaginaire, sans violence, pour le mettre à sa juste place dans le réel.

Reste avec nous !

Dans la chaleur et le côté très accueillant d'une famille, peut se déceler une terreur à lâcher son enfant : lui laisser vivre sa vie, c'est être confronté à sa propre existence sans lui, une transition forcément bouleversante. Lui autoriser son ambition, c'est l'autoriser, d'une façon ou d'une autre, à nous quitter. Force est de constater que beaucoup de parents, malgré eux, font tout pour tenter de garder le lien bien serré. C'est Facebook qui sert à savoir tout ce qui se passe dans la vie de son enfant, même une fois qu'il a quitté le nid familial. Ces nouveaux outils renforcent-ils la dépendance ? Ils ne font que relayer ce qui existait auparavant quand la mère passait dans le studio de son fils ou de sa fille, sous différents prétextes – porter le linge repassé, poser les rideaux, amener un reste de pot-au-feu – ou appelait trois fois par jour. Les nouvelles technologies offrent un autre espace dans lequel se joue le lien parent/enfant, mais elles ne le créent pas. D'ailleurs, beaucoup de jeunes savent rester injoignables quand ils le désirent, perdent leur portable, pirouette commode de l'inconscient pour couper le lien ! Être ambitieux pour nos enfants, c'est d'abord les autoriser à nous quitter, à faire leur vie comme ils l'entendent, et non comme nous pensons qu'il serait bon qu'ils la fassent, mais pour cela, nous aurons à nous délester de nos propres névroses.

Que faisons-nous de la transmission ?

La transmission est inévitable et se poursuit à notre insu, qu'en faisons-nous ? Notre ambition peut croiser sans risque et sans dommage un pan des aspirations de nos parents, une telle coïncidence ne deviendra névrotique que si nous sommes dans la réparation, la compensation, les preuves à donner, bref, que si nous ne nous sentons pas libres d'agir autrement. Il arrive encore que notre ambition nous aide à nous dégager de la névrose familiale, à l'instar de ce journaliste dont le grand-père avait été fusillé. Sa mère ignorait comment était mort son père quand elle avait six ans, et personne ne semblait se questionner dans la famille. Ce secret a aiguisé sa curiosité, son envie de débroussailler, d'éclaircir et l'a sans doute dirigé inconsciemment vers son futur métier. Il a fouillé les archives, retrouvé des documents officiels, remonté le fil de son histoire familiale jusqu'à la découverte de l'exécution. Lorsqu'il a fait part de sa trouvaille, la famille n'a pas voulu l'entendre, le grand-père était intouchable et la légende familiale indéboulonnable. Nous sommes tous pris dans des réseaux d'événements qui tissent notre toile familiale et nous invitent à suivre telle route plutôt qu'une autre. Allons-nous devenir le porte-parole d'un message qui n'est pas le nôtre ou nous l'approprier ? Sortir de l'ornière est toujours indécent et crée un dérangement intéressant à questionner. Le journaliste a pu le constater, mais sa quête lui a permis de s'extraire du maelstrom familial...

L'AMBITION VIVANTE

> « L'histoire d'un homme est autant celle de ce qu'il a rejeté que celle de ses fidélités ou de ses entêtements. »
>
> Claude Roy

Mystérieuse audace...

Qu'ont-ils de particulier ceux qui osent ? Lorsqu'elle s'est présentée pour son voyage dans l'espace, l'astronaute Claudie Haigneré, qui était la seule femme, n'a pas douté une minute qu'elle serait prise. Où puise-t-elle un tel aplomb ? La confiance rencontrée dans l'enfance contribue sûrement à étoffer cette audace. Freud lui-même pensait qu'il n'aurait peut-être jamais eu le courage d'oser changer d'orientation – il était au départ neurologue –, pour creuser des voies inédites et affronter les critiques du monde entier, sans l'amour inconditionnel de sa mère. En même temps, ce bagage – dont chacun dispose à sa manière – ne suffit pas à tout expliquer et l'accès à sa propre ambition garde sa part de mystère, nous sauvant de tout déterminisme. Qu'est-ce qui fait qu'ayant poussé sur un même terreau, une fratrie grandit différemment ? Nous cherchons souvent des explications pour nous rassurer : c'est l'aîné ? Parfois. La préférée de la mère ? Oui, mais pas toujours. Les orphelins de père ? Certains s'en sortent souvent très bien, à l'instar de Jean-Paul Sartre qui constatait dans *Les Mots* s'être très bien passé de la présence de son géniteur, emporté par la fièvre jaune, quand il avait quinze mois. Ce qui se transmet le plus sûrement ? Les névroses familiales qui circulent et qu'aucune intelligence n'arrête, nous l'avons vu plus haut. Mais là encore, comment seront-elles assimilées, répétées ou transformées ? Dès que nous avons affaire à des sujets, nous ne pouvons les mettre en axiome, il n'existe aucune objectivité possible. Tout au plus pouvons-nous repérer des conditions plus porteuses que d'autres, sans pour autant qu'une même situation engendre deux parcours identiques. Ainsi, l'enfant qui grandit dans une famille très modeste sans accès à la culture pourra plus tard s'en désoler, considérer ce trésor hors de portée, quand son ami d'enfance, né exactement dans le même milieu social, trouvera qu'il a décidément beaucoup de chance de démarrer sur une page totalement vierge, avec ses envies d'aller vers des domaines inconnus. Quant à deux frères nés dans l'opulence, l'un se réjouira d'avoir eu la belle vie et des possibilités extraordinaires, d'avoir voyagé, tandis que l'autre se désolera d'avoir tout eu, abondance qui, croit-il, l'a empêché plus tard de désirer quoi que ce soit.

Mourir à l'idée de soi

L'audace consiste en une forme de confiance qui nous autorise à écouter ce qui bouge en nous, à faire de la place à nos envies, à éprouver nos désirs, tout en sachant que cette conquête de la liberté ne sera jamais garantie ni acquise. Pour aller vers notre ambition, nous n'en finirons pas de mourir à l'idée que nous nous faisons de nous-mêmes, nous irons de surprise en surprise au fil d'une vie qui ne cessera de bousculer nos certitudes. Qu'elle est vaine la posture qui nous conduit à dire « maintenant, j'ai tout compris » ! La plupart des analysants viennent sur le divan pour se connaître parfaitement, mais ce n'est qu'au moment où ils y auront enfin renoncé que la fin de leur travail sera proche. Nous souffrons de cette aspiration à vouloir contrôler notre vie, forts de ce que nous sommes certains d'être et de ce qu'il faut faire, la psychanalyse nous aidant justement à nous délester de cette rigidité qui nous contraint et ne nous protège de rien.

Nous cajolons l'idée que nous serions constitués d'un noyau indestructible, qui s'oppose totalement à l'idée de l'inconscient, qui n'est qu'énergie et mouvement. Ce dialogue zen illustre bien notre complexité. Un maître demande à l'élève :

— Qu'y a-t-il derrière le masque ?

L'élève répond :

— Un masque.

Une réponse qui le désigne comme futur successeur de ce maître.

Jacques Lacan, lui, parle d'une succession de couches à l'image de la pelure d'oignon, un légume qui n'a pas de centre, d'un mouvement incessant de nos désirs. Ce sont eux qui nous caractérisent et circulent – plus ou moins bien – toute la vie, jusqu'à ce que la mort vienne y mettre un terme. Deux ou trois éléments combinés font notre singularité, notre « cuisine » particulière, mais loin d'être le noyau dur invoqué plus haut, ils bougent sans cesse. Ils ne constituent pas cette fameuse base solide que nous recherchons et sur laquelle nous aimerions tant pouvoir nous appuyer une fois pour toutes, et ce n'est qu'enfin débarrassé de cette idée de consistance d'un Moi immuable, que nous pourrons avoir de l'aplomb, de l'audace, des projets, et suffisamment de confiance pour nous lancer, pour essayer. Car après tout, qu'est-ce que nous risquons ? Ne serait-ce pas bien pire de ne rien tenter ? Sauf que dès qu'il y a un Moi solide et défini à ménager, que nous ne nous donnons pas cette autorisation à exister comme sujet de nos désirs, tout se fige. Nous allons devoir batailler contre l'idée que nous nous faisons de nous-mêmes, car elle ne résistera pas à la vie, même si nous jouissons d'une réussite qualifiée de « grande ». L'artiste angoissé au sommet de sa gloire ne sera jamais rassuré : parvenu au panthéon, il sera toujours inquiet de savoir qu'un jour, il peut ne plus être adoubé par tous. L'actrice Julie Depardieu disait gaiement dans une interview : « J'ai des certitudes, mais j'en change tout le temps ! » Elle laissait entendre que cette mobilité n'était pas toujours confortable, mais n'avait rien de dramatique non plus. Plus nous sommes campés dans l'affirmation de ce que nous valons, moins nous avons de latitude pour inventer notre vie, moins nous passons à l'action, préférant rêver ce « faire », car l'action va nous révéler forcément différent de ce que nous en avions imaginé.

Renonçons à « voilà ce que je suis », pour aller vers un « voilà ce qui m'intéresse et ne regarde que moi », et ne sera pas forcément en butte au monde. Cette peur de notre ambition dit la peur de l'inconnu dans laquelle elle nous précipite, de ce qui va se passer et de comment nous allons nous comporter. Sauf que même en lui tournant le dos, nous resterons dans l'inconnu ! Nous essayons de nous rassurer avec des recettes standard qui font florès aujourd'hui, tant nous aimerions avoir de certitudes dans notre rapport aux autres, et avant tout, dans le rapport à nous-mêmes. Mais tant que nous sommes dans des « je sais qui je suis », « je me connais par cœur », le sujet devra jouer des coudes pour exister, parce que la vie va contredire et mettre en péril cette immuabilité. Il faut nous résoudre à admettre que notre inconscient tient sur un triptyque que le marquis de Sade illustre bien quand il dit : « Il y a ce que je fais, ce que je dis, ce que j'écris », une autre façon de décliner le nouage entre le réel, le symbolique et l'imaginaire élaboré par Lacan. L'ambition de l'écrivain s'est nouée autour d'un désir particulier, affirmé, dont il a fait un monument littéraire, sans renoncer à ses choix et leurs contradictions, au grand dam de ses critiques et lecteurs. Ces derniers cherchent toujours désespérément à faire coller sa vie et son œuvre, alors que le divin marquis était doté d'une imagination débordante, dans l'irrespect de l'ordre établi, des religions, de la morale. Tout sujet ne peut s'ébattre que s'il renonce à son unité. Ce que cela signifie ? Nous pouvons penser certaines choses et en faire d'autres. L'éducation en offre encore un bon exemple : quel est le parent qui ne s'est pas surpris à hurler sur son gamin capricieux alors qu'il s'était bien juré de ne jamais élever la voix ? Et celui qui affirme : « Si ma femme me trompe, je la quitte ! » et qui heureusement ne le fait pas quand il se trouve confronté à la situation ? À l'inverse, un discours intellectuel sur la liberté sexuelle peut venir se briser sur l'écueil de la jalousie. Mais nous rechignons à admettre que nous sommes cette succession de couches mouvantes et paradoxales, lui préférant l'idée d'un noyau « véritable », d'où le succès des coachs qui se proposent de nous aider à le cerner. Or suivre ces stages pour trouver son ambition revient à courir après un Moi idéal, qui se révèle un frein majeur. La connaissance de soi, en nous assurant une maîtrise de nous, nous maintiendrait dans le giron de ce grand Autre qui sait, et nous apprendra qui nous sommes, comment agir pour notre bien. Depuis que Freud a découvert cette énergie de l'inconscient, nous la refoulons, lui préférant une idée très consciente d'un soi localisé, bordé. Nous cherchons à déterminer nos traits de caractères « naturels », notre tempérament, autant de certitudes qui nous protègent de la mobilité à laquelle nous renvoie notre ambition vivante. Même si au bout du compte nous nous rendons compte que nous sommes peu faits pour l'ambition que nous briguons, même si nous nous découvrons pleins d'imperfections, nous préférons cette assurance d'une définition de soi qui cristallise notre névrose, et nous fournira les prétextes pour ne rien tenter ni changer. Bien sûr, il ne s'agit pas de nier que nous aurons toujours une certaine idée de nous-mêmes, que nous en avons même besoin pour avancer dans la vie, mais cette idée, si elle n'est pas trop précise et définitive, n'empêchera pas un Moi mobile, voire éphémère. Nous n'allons pas passer notre temps à changer comme des girouettes, mais nous saurons que ce qui nous définit le mieux se niche dans ce qui nous intéresse en ce moment, là où nous nous sentons le mieux, et non dans ce Moi coulé dans le marbre ! Prenons une personne qui n'aime pas trop la société et clame qu'il faut la prendre comme elle est, et celle qui dira qu'elle se sent bien toute seule, qu'elle aime sa solitude. En personne responsable, elle s'assume dans ses goûts, laisse la porte ouverte à d'éventuels changements. Sa position succède peut-être à une vie plus mondaine, dont elle a fait le tour. D'ailleurs, si nous acceptions d'y prêter attention, nous nous rendrions compte que nous passons notre vie à être contredits sur l'idée que nous nous faisons de nous-mêmes. Ne sommes-nous pas déjà différents avec nos partenaires amoureux successifs ? À moins d'être dans une répétition névrotique, où nos histoires sont identiques et nos partenaires interchangeables. Organisés autour d'une idée de soi que nous ne voulons pas remettre en question, nous allons respecter à tout prix sa partition. Et persuadés d'être ceci ou cela, au prix d'envies et d'élans que nous allons ravaler, nous allons nous contraindre à aller dans telle direction et pas une autre : que devient alors notre précieuse liberté ?

Composer avec ses fragilités

Certains, après des années de divan, se lamentent d'être aux prises encore et toujours avec leurs peurs, car il est des difficultés avec lesquelles nous allons devoir composer toute notre vie. La différence ? Nous les reconnaîtrons, nous saurons les anticiper et les aménager, nous n'en serons plus les jouets. Certaines phobies disparaissent, d'autres sont négociables, sans pour autant paralyser notre vie. Au fond, cette peur de l'avion ne signifie-t-elle pas que je n'aime pas les voyages ? Ou que je suis inquiet loin de chez moi ? Ayant repéré ce qui nous met dans l'inconfort, nous l'éviterons tout simplement. Et si c'était ainsi, aussi, que nous progressions dans la vie ? Nous avons par exemple l'idée qu'être adulte consiste à devenir sage, ordonné. Pourtant, certains vivent très bien dans un intérieur aussi encombré que lorsqu'ils étaient étudiants, sans en être dérangés : ils organisent leur désordre, qui est leur ordre à eux. Grandir, c'est sortir du « il faut absolument que j'arrive à... ». L'analyse sert à repérer nos trous d'air pour ne plus être suspendus à leur menace, sans nous garantir qu'il n'y aura plus jamais de creux de vagues, dans lesquels nous sombrerons parfois. Mais soit la névrose organisera notre mode de vie, soit nous organiserons nos modes de vie selon certains points névrotiques, ce qui change tout. Car il ne s'agit pas évidemment d'être enfermé par son symptôme, ni de le laisser diriger le fil de notre vie, mais de savoir le repérer, le déplacer, le contourner, le transcender. De nombreux artistes avouent que leur création est portée par leur névrose : ceux qui en ont fait leur fonds de commerce craignent en la soignant de tarir leur inspiration, et de fait, ils tournent autour de thèmes limités, même s'ils sont denses. D'autres remarquent qu'en se soignant, en allant mieux, en la tenant à distance, en s'apaisant, ils ne perdent rien de leur créativité, qui s'est libérée de cet enclos. Le peintre Gérard Garouste en témoigne dans son dernier livre[1] : il aurait pu devenir fou, mais en mettant sa folie au service de sa peinture, il l'a transformée et dompte ainsi sa souffrance.

Cesser de remettre son ambition à demain...

Certains identifient bien leur ambition, mais la reportent sans cesse à demain. Plus tard, j'écrirai un livre, un jour, je serai un grand comédien... C'est le fameux « quand je serai grand », attitude qui révèle bien dans quelle position infantile ils sont encore empêtrés. La question du temps revient comme une donnée incontournable, un élément presque supérieur à nous, qui nous désignerait et validerait notre ambition. Mais attendre le bon moment, c'est s'en remettre à une autorisation imaginaire, incarnée le plus souvent par des circonstances favorables : je monterai mon entreprise quand la France aura récupéré son triple A, j'apprendrai le japonais quand j'aurai bouclé tous mes dossiers en cours, je chercherai un autre travail quand j'aurai rencontré l'amour et fait des enfants... Sauf qu'il n'y a que nous, et nous seuls, qui pouvons nous donner le

1. *L'Intranquille*, avec Judith Perrignon, L'Iconoclaste.

départ et nous savons bien que les projets les plus audacieux, les plus libres se sont toujours moqués du soi-disant « bon » timing. Steve Jobs en est un bon exemple : il a proposé certaines innovations trop tôt, mais n'a pas lâché, est revenu à la charge jusqu'à ce que la brèche s'ouvre, sans attendre le bon moment. Trop tôt ? Certainement pas, c'était sans doute le cheminement à suivre pour parvenir à imposer ses géniales innovations.

Sortir du fantasme pour réaliser son ambition

Dans l'ambition qui nous intéresse, il va falloir nous jeter à l'eau, sans pour autant être inconscient des risques courus. Comme dans une histoire d'amour, vient le moment où nous arrêtons de rêver l'autre, pour nous en approcher, tenter un geste qui signale notre présence, notre désir. Même si nous nous sentons en attente de cette vie que nous aimerions tant mener, il n'empêche : pour de nombreuses personnes, la chimère reste préférable à la réalisation. Pourquoi ? Parce que si je mets en œuvre de façon concrète mon ambition, je ne peux plus rêver mon œuvre ni ma réussite comme je l'entends. Je ne peux plus entendre crépiter les flashs, qui ne manqueront pas lorsque je réaliserai enfin mon premier film ! Tant qu'il reste dans ma tête, je peux tout imaginer, tandis qu'en réalisant mon ambition, j'en perds la maîtrise : une fois mon projet lancé, je n'aurai plus la main dessus, j'avancerai à vue... Sans parler de ceux qui rêvent de créer leur boîte et ne le feront jamais, préférant s'en tenir à la critique de ceux qui osent. Ou ceux qui pensent qu'à un poste de responsabilité, ils seraient bien meilleurs, sans jamais se mettre en lice pour briguer ces postes... Ils préfèrent cajoler l'idée qu'à leur place, on verrait ce qu'on verrait ! Sauf que l'épreuve, la réalité est tout autre. Combien nous nous aimons en train d'écrire ce fameux bouquin qui va nous rendre célèbre ! Mais dès que nous nous attaquons vraiment à l'écriture, nous rencontrons aussitôt l'incertitude, le découragement. Sans le réaliser consciemment, nous supputons que rêver notre vie est moins engageant, ménage notre Moi idéal. Caresser le projet d'écrire bientôt un best-seller est nettement plus confortable que se lever à six heures du matin pour se confronter à l'angoisse de la page blanche, ou se relire et se trouver mauvais. Une telle attitude permet d'envisager tranquillement, du fond de notre lit, la tenue que nous porterons le jour du Goncourt, sans avoir à écrire une ligne ! Le cocon du fantasme permet de préserver deux dimensions essentielles : je garde la maîtrise de ma vie rêvée et je suis sûr de qui je suis.

En nous mettant à l'ouvrage, nous allons prendre conscience que nous ne sommes pas ce que nous croyons être depuis si longtemps : nous allons peut-être nous révéler moins bons sur certains aspects, mais excellents sur d'autres que nous ignorions. Bref, nous n'aurons plus une lecture unique de nous. Oui, le rapport à l'autre va déranger notre vision du couple, tout comme la réalisation de notre désir dérangera le fantasme que nous en avons, mais soit nous accueillons ce dérangement, qui est la vie même, soit nous nous en protégeons en restant sur notre quant à soi. Nous savons alors qui nous sommes, comment la vie devrait être, mais hélas, nous ne vivons rien ou pas grand-chose. Enfin, ajoutons que nous jeter à l'eau risquerait de nous révéler que cette ambition que nous croyons être nôtre ne l'est pas tant que ça, finalement. Nous rêvons de faire le tour du monde ? Mais peut-être qu'une fois passé à l'action, nous nous rendons compte que cette aventure ne nous plaît pas tant, ou pas si longtemps. Ce que l'on croyait être notre désir ne l'est pas. Regardez tous ceux qui s'imaginent en experts, au regard de la série télévisée du même nom, ou embaumeurs, ayant dévoré les saisons de *Six Feet Under* : se rendent-ils compte que ce n'est pas très palpitant pour tout le monde de travailler toute la journée dans un laboratoire ou d'être en contact avec des morts ? À moins que ces rêves ne servent qu'à garder le scénario de sa vie intact, sans la vivre.

Inconnu à notre adresse

En acceptant de ne jamais nous connaître totalement, ni nous, ni les autres, nous sortons de la posture de l'homme ou de la femme qui a tout vu, tout compris. Qui peut affirmer qu'il aurait été résistant durant la dernière guerre mondiale ? Qui peut être certain qu'il ne trahira jamais ? Sauf à être plongé dans la situation, rien ni personne ne permet d'affirmer que nous prendrions telle ou telle position dans ces tourmentes. Nous pouvons seulement souhaiter nous comporter en fonction de nos principes, mais tant que cet idéal ne viendra pas se cogner à une réalité, nous n'en saurons rien. Dans un sens comme dans l'autre. Ainsi, dans le film *Monsieur Batignole,* un commerçant borné, qui ne veut surtout pas d'histoires avec les Allemands, finit par cacher des enfants juifs et les faire passer en Suisse, au péril de sa vie. Quant à Arthur Koestler, engagé dans la guerre d'Espagne, il raconte de façon très émouvante qu'il n'a jamais osé chanter l'hymne républicain quand ses compagnons d'armes passaient au petit matin devant sa cellule pour rejoindre le peloton d'exécution. Il se contentait d'en murmurer les paroles, poing levé, derrière la porte, se désolant de ne pas avoir eu ce courage, lui qui n'en a pourtant pas manqué. Mais chanter à voix haute, c'était la mort assurée.

Oser s'affirmer, s'afficher, s'affranchir

En affirmant ce que nous préférons et ce que nous désirons, nous nous positionnons, nous abandonnons notre neutralité. Or nous craignons toujours l'impudeur, l'indécence d'un choix et de goûts qui nous exposent aux yeux du monde. Nous voulons être remarquables, mais pas trop. Nous préférons prendre notre place dans un ensemble plutôt que revendiquer notre différence, aussi discrète soit-elle, et prendre le risque de n'être pas approuvé de tous. Sommes-nous disposés à risquer une telle affirmation ? Ce livre, qui a peut-être du succès, certains le trouveront mauvais, ce tableau, vulgaire, cette pièce, inaudible... N'y a-t-il pas trop à perdre, ne courons-nous pas au-devant d'un retour de flamme qui risque de nous brûler ? Nous prêtons le flanc à cette petite phrase lapidaire : « tiens, je ne te voyais pas comme ça », qui est rarement dite sur le ton du compliment, mais plutôt de la déception. Et même si elle est admirative, elle sous-entend qu'avant, nous ne valions pas cette considération... Dans la culture française, nous avons une relation très complexe à la réussite, nous la vantons mais nous nous en méfions, la saluant rarement chez les autres, à l'inverse des Américains qui se réjouissent des succès, surtout économiques, de leurs compatriotes. Lorsqu'une ambition nous sort de notre case habituelle, les levées de boucliers ne manquent pas, mais si nous sommes en cohérence avec elle, si nous nous en sentons mieux, nous trouverons l'audace d'affirmer et de conforter notre désir. Ceux qui prennent des risques agacent toujours, certains s'en éloignent – c'est le prix de leur liberté – mais heureusement, d'autres les rejoignent.

Abandonner la comparaison

Pour poursuivre notre ambition, il va également falloir nous dégager de toute comparaison systématique. Prenons l'homme qui grimpe les hauts sommets : quand il est en montagne, est-il heureux ou se désole-t-il que certains aient mis moins de temps que lui ? Même s'il n'arrive pas premier, recommencera-t-il avec entrain, ou sera-t-il anéanti par cet autre alpiniste qui lui est passé devant ? La belle ambition ne réclame rien à personne, ne se compare pas aux autres, se situant à l'opposé de la position adolescente qui se rassure sur sa valeur en s'opposant ou dénigrant toute autorité, et qui a besoin d'elle pour se construire en contre-exemple. À l'instar de ces jeunes peu sûrs d'eux, ces faux ambitieux trouvent dans le défi une façon de se prouver à eux-mêmes qu'ils sont exceptionnels, probablement parce qu'ils en doutent... Or quand nous sommes bien dans notre ambition, nous cessons de lorgner sur l'assiette du voisin, quittant cette idée d'un gâteau unique dont nous pourrions avoir une grosse part ou seulement des miettes, pour nous poser la seule question valable : quel est mon gâteau préféré ? Nous devenons alors tolérants avec ceux qui suivent un chemin différent, ne leur demandons pas de vivre et de penser comme nous. C'est d'ailleurs un excellent indice pour savoir si nous avons fait un choix qui nous correspond réellement. Observez les couples qui mènent la vie qui leur convient, ils ne donnent de leçons à personne, ne s'escriment pas à dire aux autres comment s'aimer, comment durer. Ils s'en moquent. Ayant trouvé leur équilibre, ils n'éprouvent pas le besoin de se rassurer en arguant d'un savoir indiscutable.

En embrassant la même carrière que leurs géniteurs, les enfants de stars s'exposent à la comparaison, ce qui n'empêche pas certains de tracer leur chemin différemment, comme Thomas Dutronc qui a su imposer son originalité avec sa musique manouche : il chante, comme son père et sa mère, mais pas sur le même registre. Certains font même parfois oublier leur célèbre géniteur alors même qu'ils embrassent la même carrière : qui sait que la mère de Marina Hands est Ludmilla Michael ? Trouver son ambition, l'assumer, passe toujours par une forme d'affrontement aux autres, réels ou imaginés. Bien sûr, il y a cette petite voix – souvent assourdissante – qui voudrait, quitte à faire parler les morts, que nos parents soient fiers de nous, mais nous aurons tout de même à conquérir ce qui nous a été légué pour le dépasser. L'émouvant billet de l'humoriste François Morel sur France Inter[1] en offre un bel exemple : dans une lettre ouverte, il rend hommage à son père, cheminot engagé, qui préférait voter rouge parce que la couleur finissait toujours par rosir ! Il espère que son père serait fier de l'écouter – alors que ce dernier aimait l'humour des *Grosses Têtes*... – et s'il n'a pas poursuivi la carrière de conducteur de train, il a gardé de l'héritage paternel les valeurs de solidarité et de révolte, s'inscrivant dans une tradition sans céder sur ses propres aspirations. Nous l'avons déjà longuement abordée, notre

1. 27 avril 2012.

ambition est toujours transgressive, pas forcément de manière explosive, douloureuse ou agressive, et nous ne pourrons la faire exister qu'en donnant des coups de pied dans les projections de l'entourage, que ce soit notre famille ou notre milieu social. Et même si au bout du compte, l'enfant, une fois adulte, fait le même métier qu'un de ses parents, si son ambition intime est de la partie, il le fera à sa façon, et sûrement pour des motifs différents. Il se l'appropriera et inventera son propre style.

Se déprendre du regard des autres

Certains ne se lancent pas, attendant de trouver le bon créneau, le bon secteur, là où, pensent-ils, se trouve la demande. Mais où veulent-ils vraiment aller et comment ? Plus nous restons coincés dans le regard de nos proches ou de la société, plus nous nous éloignons de notre façon de mener notre barque, et risquons de passer à côté de notre projet. Suivre notre ambition réclame surtout notre autorisation, elle doit s'affranchir de l'illusion rassurante de répondre à une attente supposée, nous l'avons longuement détaillée. Ainsi, l'écrivain : quand son livre sortira, il va forcément essuyer des critiques ou pire, n'en avoir aucune. Il l'a écrit pour épater son père ou sa mère ? Peut-être ne l'ouvriront-ils pas... Une des nouvelles de la romancière Claude Pujade-Renaud[1] met en scène une auteure qui invite sa famille pour fêter la sortie de son dernier ouvrage. Elle a offert un exemplaire à chacun, mais se rend compte très vite que personne ne l'a lu. De rage, elle glisse un livre dans la marmite où mijote son pot au feu... Vous ne voulez pas le lire ? Vous allez le manger ! Suivre son ambition demande d'être prêt à assumer une certaine solitude, mais pas au sens désespérant du terme. Certes, en répondant à des demandes, en cherchant à être compris, nous ne sommes plus seuls, mais nous oublions au passage que comprendre l'autre, c'est d'une certaine façon prendre sa place. Or personne ne peut parler à notre place. C'est la raison pour laquelle une ambition dictée exclusivement par le souci d'être socialement reconnu n'est jamais totalement satisfaisante, tandis que celle porteuse de notre message, de notre désir, est vibrante. La critique négative pourra nous troubler, nous contrarier, mais nous savons que nous sommes là où nous voulons être. Notre petite voix, même ténue, va continuer à s'exprimer. Il n'y a pas de débouché ? Je le tente quand même. Ce n'est pas comme ça qu'on fait d'habitude ? Oui, mais moi, c'est ainsi que je me

1. *Un si joli petit livre*, Actes Sud, 1999.

sens le mieux et je veux au moins essayer. Celui qui monte son restaurant en essayant de coller à tout prix à l'air du temps a peu de chances de s'imposer, alors que, se demandant ce qu'il a envie de faire comme cuisine, il met les atouts de son côté pour réussir. Nous saurons que nous sommes dans notre belle ambition lorsque l'avis des autres nous importera, certes, mais sans déterminer notre choix.

Assumer ses origines

Pour expliquer leur parcours ou leur œuvre, de nombreux artistes évoquent leur milieu d'origine. C'est le cas d'Olivier Adam, issu d'un milieu ouvrier de la banlieue parisienne, dont les livres sont imprégnés de ce questionnement autour de la distance qu'il peut ou pas s'autoriser, de ce sentiment de ne jamais être à la bonne place. Ni dans les milieux intellectuels dont il fait désormais partie, ni dans son milieu familial, avec lequel il n'a plus grand-chose à voir. À l'opposé sur l'échiquier social, Emmanuel Carrère vient d'un milieu bourgeois et intellectuel. Ce qui les rassemble ? Tous deux, à leur manière, souffrent et culpabilisent de leurs origines. Or cette autoflagellation n'est pas forcément productive – quoique dans leurs cas, ils en font des livres.

La seule question valable est de savoir ce que nous faisons des conditions dans lesquelles nous avons grandi, en quoi nous les subissons encore, en quoi elles nous déterminent. Occuper sa vie, porter son ambition, revient à composer avec ses origines, sans forcément les aimer. L'ambition de ces deux romanciers pourrait être de s'affranchir de tout milieu, de toute idée d'appartenance, de s'assumer comme écrivain à succès. Répétons-le : l'ambition dont nous parlons a à voir avec une certaine arrogance, mais pas au sens courant du terme, du dédain des autres. Non, cette arrogance-là se niche dans un « je fais ce qui me plaît, j'y réussis – ou pas –, je ne m'en excuse pas ». Sur le divan, beaucoup d'analysants tournent autour de la question de leur légitimité : « Est-ce que je peux y prétendre ? », « Pourquoi moi, plutôt qu'un autre ? » Peut-être, tout simplement, parce qu'ils en ont plus envie…

Se défaire de la posture

Nous avons tous assisté à ce genre de scènes : un parent qui s'adresse à son enfant haut et fort, pour que les autres l'entendent. Il ne parle pas pour qu'il l'écoute mais pour qu'on le prenne pour un bon parent, qui explique tout, fait preuve de patience. Sauf que l'auditoire n'est pas dupe et que bien souvent, l'enfant sent un discours qui sonne faux et n'en fait qu'à sa tête ! Tant que nous sommes dans la posture, l'ambition va se tromper de route. Ainsi, Olivier Adam souffre de n'appartenir à rien, mais réclame une appartenance, tout en s'en défendant. Emmanuel Carrère a le complexe de la sienne, mais ne la quitte pas pour autant. Pour pouvoir s'épanouir et s'exprimer, nous devons abandonner cette posture, car derrière elle se tapit l'envie d'être reconnu, admis, aimé, légitimé, autant de freins à la belle ambition, puisque ce sont les autres qui la déterminent. À l'inverse, Patrick Modiano a su imposer sans arrogance une façon d'être qui, *a priori*, n'avait pas sa place dans les médias. Ses hésitations n'ont rien d'une posture, tant on sent qu'il ne pourrait faire autrement, qu'il est bien ennuyé pour le journaliste qui tente de le faire accoucher d'une réponse. Toutefois, il n'est pas prêt à sacrifier ce qu'il est profondément, et en est de fait incapable, pour satisfaire le jeu médiatique. Certaines personnes tracent leur route, sans se soucier de ce que l'on dit d'elles, sans éprouver le besoin de s'en expliquer. Dans ses romans, Annie Ernaux raconte ses origines, dit combien elles l'encombrent, mais lui apportent aussi matière à réflexion. C'est infime, subtil, mais elle ne réclame jamais notre admiration ou notre compassion. D'ailleurs, tout créateur devrait suivre le conseil de cette romancière : « Écris toujours comme si tu allais mourir demain, comme si tu n'avais de comptes à rendre à personne. » Ou celui d'une professeur de philosophie qui, dans une lettre adressée en 1944 à Jorge Semprun, recommande au jeune auteur qu'il était alors : « Pour écrire, il faut se déprendre de soi. » C'est tout le travail d'une analyse de s'extirper de ce besoin de reconnaissance, pour faire entendre sa propre musique.

Se réaliser ou viser une réalisation ?

Nous assimilons souvent l'ambition à un objectif qui nous définirait, nous installerait dans un rôle visible, assuré. Ouf, nous serions enfin arrivés... Sauf que plus nous allons avancer, moins cette destination va être évidente, notre façon de faire se découvrant au fur et à mesure.

Dans une interview à *Psychologies magazine*, l'actrice Isabelle Carré expliquait que son désir s'était réalisé juste à côté de l'ambition qu'elle visait au départ. Mais elle n'en éprouvait aucune frustration, bien au contraire, elle en parlait en termes de réalisation. Ce terme peut nous aider à distinguer l'ambition incarnée par le bon poste, l'exploit accompli, et le fait de se réaliser dans ce que nous faisons. La « réalisation » sous-entend un parcours avec les bonnes cases à cocher, visant un but défini d'emblée, tandis que « se réaliser » ne renvoie qu'à notre ressenti, même si bien sûr, nous pouvons très bien nous réaliser dans une réalisation, pas forcément classée dans la rubrique « réussite sociale ». Prenons encore le terme de pouvoir, qui jouit d'une attirance/répulsion, au moins aussi forte que le mot ambition. S'agit-il d'un pouvoir qui tend vers une domination des autres, ou bien de celui qui parle de possibilités ? La belle ambition donne une forme de pouvoir, dans le sens où nous allons avoir prise sur notre vie. Même si nous faisons preuve d'autorité sur d'autres, elle ne sera ni déterminante ni prédominante, elle s'imposera d'elle-même. Les personnes à l'ambition cohérente peuvent avoir cet ascendant sur les autres, sans en abuser car ce n'est pas ce qui les intéresse d'abord. Leur ambition peut même être au service d'idées généreuses qui non seulement n'enlèvent rien aux autres, mais les enrichissent. Il est toujours dynamisant d'être à leur contact, tant leur énergie est contagieuse, donnant tout son sens à l'expression de Jacques Lacan : « Le désir est désir de désir. » Ajoutons que le terme « se réaliser » dessine un mouvement, une dynamique en route, tandis que la réalisation s'apparente à une sorte de chiffon rouge que l'on nous agite sous le nez, une ligne d'arrivée qu'il s'agirait de franchir.

À l'inverse, si nous nous réalisons dans ce que nous faisons, nous tendons vers un but qui se redessine sans cesse et n'est jamais tout à fait atteint, sans que nous en soyons frustrés. En cours de route, nous croiserons à l'occasion le bonheur, sans nous y installer. Cette philosophie de la vie rompt avec le discours résigné, fataliste, qui voudrait que, puisque ce graal ne peut être obtenu pour toujours, il vaudrait mieux éviter sa conquête, et comme le chantait si bien Serge Gainsbourg, qu'il vaut mieux « fuir le bonheur de peur qu'il ne se sauve ». Dans la belle ambition, nous pourrons l'éprouver, le vivre par moments, batailler pour tendre vers lui, sans jamais nous y installer définitivement, chimère qui nous abriterait des turbulences de la vie, et donc de la vie tout court… N'est-ce pas ce que nous vivons dans une histoire d'amour, quand nous acceptons ses hauts et ses bas, ses joies et ses effrois, pour tendre vers le bonheur d'être ensemble sans y parvenir tout le temps ? Savoir tolérer les baisses de régime permet de poursuivre une aventure au-delà de la passion. Quand la vie sera moins rose, il nous faudra inventer autre chose pour la trouver douce à nouveau, ce qui est caractéristique des va-et-vient de la vie. Le bonheur n'est pas un état permanent, mais il peut se conquérir sans cesse.

Rien n'est jamais acquis

La belle ambition nous mène de l'avant, mais ne nous conduit pas dans un Éden où nous pourrions siroter des cocktails jusqu'à la fin de notre existence. Ce serait peut-être le paradis, mais alors nous serions morts… Notre projet, sa réussite seront là, mais pas pour toujours. Certains chercheurs en ont assez d'être rattachés à la découverte qui les a rendus célèbres, ou à leurs débuts prometteurs, à l'instar de Françoise Héritier chagrinée d'être toujours identifiée comme celle qui a succédé à Claude Lévi-Strauss au Collège de France il y a… trente ans déjà ! Faut-il y voir une façon de nier ses propres recherches ? Quant à ceux qui s'installent confortablement dans leur statut, ils peuvent être délogés du fauteuil à tout moment par une nouvelle découverte… Tant que nous serons vivants, nous allons bouger, slalomant entre ce que nous sommes aujourd'hui, le regard que les autres portent sur nous, avec lequel il faut composer. Ces acteurs qui pestent parce que les réalisateurs ne les croient capables de jouer qu'un type de rôle n'ont-ils pas eu peur de s'écarter de cette reconnaissance-là ? Ce sont eux qui souvent s'y laissent ramener, tentés d'aller là où, assurément, ils sont attendus et aimés. D'autres, qui ont démarré également dans un registre bien identifié, feront des incursions dans d'autres genres, voire se révéleront dans des rôles tout à fait différents. Peut-être parce qu'eux-mêmes n'étaient pas enfermés dans l'image qu'un certain public leur renvoyait. Nous n'échapperons pas à cette volonté des autres de nous définir, de nous assigner à une place, autant le savoir et prendre ses distances, à l'instar de Nathalie Sarraute qui expliquait dans une interview qu'elle s'était sentie écrivain à partir du moment où elle avait gagné sa vie avec sa plume. En ramenant trivialement l'écriture à un métier qui permet de vivre, elle signifiait qu'elle continuait son petit bonhomme de chemin, sans se laisser piéger par l'image de l'écrivain sacralisé, tête de file du Nouveau Roman. Que dire encore de la cantatrice Natalie Dessay, qui bouscule joyeusement l'idée de la vocation, que nous aimons tant attribuer aux artistes et que nous leur envions ? Elle aime à rappeler que son goût pour le théâtre était bien supérieur à celui du chant lyrique, mais que lorsqu'elle s'est aperçue qu'elle avait une belle voix, elle a choisi l'opéra, où elle avait plus de chances d'être distinguée et de trouver du travail. Aujourd'hui, elle envisage d'ailleurs de revenir au théâtre, une fois sa carrière lyrique achevée. Ne raconte-t-elle pas magistralement le parcours d'une ambitieuse qui s'est réalisée dans le chant, pour revenir à ses premières amours, forte du bagage que lui ont donné ses années de scène ?

Abandonner l'idée d'une finalité

Cette ambition dont nous parlons ne sera pas toujours la même, peut-être va-t-elle perdurer, peut-être pas. En se dégageant de la notion d'issue, nous lui donnons toutes les chances d'évoluer et de se réaliser. Et si nous ne l'avons pas écoutée avant, c'est que peut-être nous n'étions pas prêts. Il faut parfois une longue maturation pour la conquérir, et d'abord la défricher. Car que voulons-nous ? Poursuivre un projet ou privilégier un mode de vie ? Quelle place le travail va-t-il avoir dans notre vie ? Au-delà de la question du salaire, en quoi notre vie est-elle gagnante aujourd'hui ? Après avoir exposé le seul schéma de la réussite professionnelle, au sens carriériste du terme, bien gagner sa vie peut être ne pas travailler trop, ou dans un domaine où l'on gagne peu, pour ne pas avoir l'impression de la sacrifier. Nous aurons toujours cette évaluation à faire : qu'est-ce que je gagne ou perds à m'investir ainsi ou à me préserver des loisirs ? Est-ce que ce salaire vaut tous les sacrifices qu'il implique, qu'est-ce qui me coûte et me profite ?... Certains jobs alléchants de l'extérieur peuvent nous miner, mais il est difficile de s'affranchir de la place où notre entourage – qui la trouve enviable – veut nous installer : tu as un bon poste, un bon salaire, que veux-tu de plus ? Un métier qui me fasse vibrer, qui me fasse vivant, et je suis le seul à savoir si c'est le cas ou pas. Au risque de passer pour un caractériel ou une capricieuse, jamais content de son sort, je décide de m'arrêter et d'aller ailleurs.

Car si je fais tel métier pour m'assurer une bonne situation et l'approbation de mon entourage, les retours les plus dithyrambiques ne compenseront jamais assez les élans que j'ai dû ravaler. Comment je me sens moi ? Est-ce que c'est vraiment ce qui m'intéresse ? Pour trouver les réponses, nous devons nous dégager du comment il faudrait nous sentir, des obligations à décréter telles carrières passionnantes, surtout quand elles ne le sont pas pour nous. Cela ne veut pas dire que nous aurons réponse à tout, que tout sera résolu, mais que nous devrons prendre régulièrement notre température. Toutefois, il est tellement difficile de renoncer à l'image que nous croyons devoir présenter, dans un contexte où chacun semble jouer son rôle. Nous revenons une fois encore à cette distinction à établir entre le rôle qui nous définirait, que notre ambition conforterait, et le mouvement qui ne cesse jamais. Oui, nous allons réaliser un projet, en faire le tour ou nous en écarter, pour passer à un autre.

Pour cela, il va nous falloir abandonner cette idée que nous ne sommes faits que pour une seule chose.

D'ailleurs, nos ambitions les plus évidentes sont souvent celles que l'on se découvre après coup, une fois réalisées. Il nous faudra distinguer une fois encore la réussite socialement reconnue de celle que nous n'avions pas imaginée, parce qu'elle bouscule l'image que nous nous faisons de nous ou d'une existence réussie. Prenons l'exemple de la vie de famille : nous avons pu penser pendant longtemps qu'elle ne constituait pas notre cheval de bataille pour nous rendre compte au fil du temps que c'était le domaine où nous nous épanouissions le plus. Qui mieux que nous peut dire ce qui nous réussit ? Et d'ailleurs, si nous prenons l'exemple d'une vie sentimentale, que signifie cette notion de réussite ? Est-ce une passion suivie d'une période de solitude ? Une vie à deux pendant quarante ans ? Un enchaînement d'aventures ? Si tout était à refaire, ferions-nous les mêmes choix, revivrions-nous la même vie ? La plupart du temps, oui. Notre parcours, loin d'être linéaire, nous a appris chaque fois quelque chose sur nous, et nous ne voudrions pas renoncer à la richesse de nos expériences. Même si au départ, nous nous sommes engagés dans une voie, pour une mauvaise raison, ce sera peut-être pour finalement trouver la nôtre.

On peut même avoir répondu à un Surmoi qui nous a imposé un choix et trouver à s'y réaliser, à notre manière. La vie n'est jamais blanche ou noire. Elle se transforme comme une terre glaise que l'on pétrit. Certains pas de côté changent nos ressentis, notre vision. Notre petite voix n'est pas forcément un cri de lutte et de révolte, elle n'a pas toujours à se défendre. Mais ce qui est certain, c'est qu'elle ne regarde que nous et que nous sommes seuls à pouvoir la reconnaître.

Deuxième partie

LES AMBITIONS PARTICULIÈRES

L'AMBITION FÉMININE : ENCORE UN EFFORT !

> « La femme sera vraiment l'égale de l'homme le jour où, à un poste important, on désignera une incompétente. »
>
> Françoise Giroud

Une ambition féminine toute récente

Pendant des siècles, les femmes n'étaient pas censées avoir de l'ambition, si ce n'est celle de faire un bon mariage et devenir une mère vertueuse, qui fait son devoir. Même la frondeuse George Sand, qui concoctait les discours de Lamartine lors de la Révolution de 1848, refusa d'entrer en politique sous prétexte que, bien que les femmes soient aptes à tout, elles étaient d'abord mères[1]. Plus près de nous, nos arrière-grands-mères n'auraient même pas imaginé pouvoir diriger des hommes. Bien sûr, de l'eau a coulé sous les ponts depuis, et les femmes sont de plus en plus nombreuses à briguer des postes de pouvoir. Mais si la légitimité d'une certaine ambition féminine commence à être admise, l'égalité est loin d'être acquise, tant nous restons conditionnés par les anciens schémas. Dans le monde du travail, le machisme bat son plein et les inégalités sont flagrantes. Les femmes se débattent dans de nombreuses contradictions, dont elles ne sont pas les seules responsables. Ainsi, si elles se sentent coupables de poursuivre leur ambition – un sentiment qui n'étouffe pas leur compagnon –, c'est que souvent l'éducation et l'organisation de la maison reposent encore sur leurs épaules, tâches dont les hommes se déchargent volontiers sur elles. Au-delà du discours l'encourageant à briguer sa liberté, des préjugés freinent son émancipation. La femme, même aujourd'hui, est censée trouver d'abord, et peut-être avant tout, le bon compagnon qui lui donnera des enfants. Affiche-t-elle une belle réussite professionnelle ?

1. Laure Adler et Stefan Bollmann, *Les femmes qui écrivent vivent dangereusement,* Flammarion, 2007.

Elle craint de faire peur aux hommes : restera-t-elle séduisante, et aimable, en poursuivant une ambition qui leur est traditionnellement réservée ? Entre ce qui est dit haut et fort, ce qui se fait en réalité, et ce qui est intimement ressenti, les écarts sont immenses. Une femme peut avoir l'opportunité de travailler comme ingénieur sur une plate-forme pétrolière, le vouloir, mais si elle est encombrée par des injonctions inconscientes – ce n'est pas la place d'une femme, par exemple – elle refusera sous de faux prétextes, ou acceptera le poste au mépris de son ressenti, quitte à ce que son ambivalence se manifeste par une somatisation ou un accident du travail. Il ne suffit pas de vouloir pour pouvoir, ni de pouvoir pour l'assumer, car l'inconscient mène souvent la danse. Malgré tout – et heureusement – c'est un fait indéniable, les femmes suivent désormais plus volontiers leur ambition. Il n'y a pas si longtemps encore, elles se contentaient d'être meilleures que les garçons jusqu'au bac, pour ensuite s'engager dans des filières courtes, rencontrer souvent un copain en chemin et s'arrêter pour faire des enfants. C'est de moins en moins le cas aujourd'hui, elles sont même plus nombreuses que les garçons en médecine, présentes dans les filières scientifiques où elles font une sérieuse concurrence aux hommes qui commencent à s'en inquiéter. Les femmes vont-elles briguer tous les pouvoirs ?

L'ambivalence féminine

Si les hommes peinent à lâcher leurs privilèges, les femmes renâclent également à abandonner certains avantages, la féminité restant synonyme de vertus que l'ambition professionnelle ou politique met à mal. Quand Christine Lagarde, comme tant d'autres, fustige la trop grande présence de testostérone en politique, nous ne remarquons pas que les femmes se comportent mieux quand elles tiennent les manettes du pouvoir, que ce soit Catherine de Médicis, Margaret Thatcher ou Golda Meir, dont Ben Gourion aimait à répéter qu'elle était le seul homme de son gouvernement... Une réelle altérité ne peut en passer que par l'acceptation de la dimension « guerrière », voire conflictuelle, inévitable en politique, ou dans n'importe quel poste de pouvoir. Si les femmes veulent occuper ces fonctions, elles doivent cesser de vouloir incarner la douceur, la sensibilité, car à s'entêter à se montrer des parangons de rondeur et d'intuition, elles ne pourront sortir les dents ou les arguments chocs au moment opportun. Ou éviter encore de s'abriter derrière leur statut de mère, à l'instar de Ségolène Royal – au culot légendaire – qui, dès qu'elle est en difficulté, sort de son chapeau ses enfants, censés la protéger des coups bas. Les hommes qui reprochent aux femmes de vouloir le beurre et l'argent du beurre n'ont pas toujours tort sur ce point : sous couvert d'égalité, ces dernières peuvent vouloir s'accrocher à leurs privilèges féminins, tout en accusant les hommes de ne pas renoncer aux leurs…

Si ces derniers n'ont certes guère envie de céder leur pouvoir, les femmes, inconsciemment, répugnent également à céder les leurs, même les plus souterrains. La machine à laver en offre un bon exemple. Quand une femme gère le linge, si l'homme s'en mêle, il bouscule son organisation. Elle va l'accuser de mélanger les couleurs, de ne pas choisir la bonne température, de ne pas lancer le lavage au bon moment. Bref, elle va continuer à râler sur le poids des tâches ménagères, sans accepter pour autant qu'il empiète sur ce qu'elle considère comme son terrain. Pourtant, aucun gène ne prédispose ou n'empêche d'appuyer sur les boutons marche et arrêt ou de trier les couleurs et le blanc ! Le maniement des appareils ménagers ne dépend pas du taux de progestérone, il suffit juste de lire le mode d'emploi… Il existe une vraie mainmise des femmes sur l'organisation familiale, et dès que les hommes y participent, ils sont critiqués ou regardés avec condescendance. Le mythe des femmes « multitâches », par rapport aux hommes « monotâches », est entretenu par les deux sexes. La publicité offre le miroir de ces pères valeureux qui essaient de bien faire, sont adorables avec leurs enfants, mais deviennent si patauds dès qu'il s'agit de faire bouillir de l'eau pour les pâtes ! Un enfant est malade ? La crèche et l'école ont plus vite fait de trouver le numéro de la mère que celui du père, qu'elles n'appelleront qu'en désespoir de la joindre. Il n'est pas sûr d'ailleurs que cette dernière se réjouirait si on décidait de se passer d'elle. N'est-elle pas la mieux placée pour s'occuper de son enfant ? Tant que les femmes ne céderont pas sur ces prérogatives, elles auront du mal à élargir le champ de leur ambition. Même les femmes politiques sont piégées dans ce miroir aux alouettes.

Jamais sans la mère !

Le film *L'Exercice de l'État* montre à quel point les politiques sont des passionnés sans scrupules, des joueurs fonctionnant à l'adrénaline, qu'il s'agisse des hommes ou des femmes. Mais ces dernières sont censées modérer leur appétit pour préserver leurs enfants, piège dans lequel est tombée, comme bien d'autres, Nathalie Kosciusko-Morizet lorsqu'elle était ministre. Pourquoi voulait-elle donner à tout prix une image de bonne mère qui fait son marché le dimanche matin avec son fils ? Un homme politique mettrait-il en avant le fait d'aller chercher ses enfants à l'école, un pain au chocolat à la main ? Pourtant, on se doute bien qu'une femme ministre n'a pas le temps de jouer aux Lego tous les soirs… Tout est autorisé, tant que le rôle de mère n'est pas mis à mal. Peut-être parce qu'en touchant à son image, à la lisière du sacré, on atteint tout le monde. Chaque être a dépendu d'elle pour sa survie, et c'est une dette impossible à rembourser. Même adultes, ils sont nombreux à continuer à vivre sous son regard écrasant, sous la coupe de ce pouvoir qu'ils lui confèrent. Et que certaines entretiennent. Combien de grands hommes évoquent leur maman, « cette sainte femme », avec des trémolos dans la voix ? Affirmant à qui veut l'entendre : « Sans elle, je ne serais rien » ? Sans doute y a-t-il des génitrices formidables, mais ces reconnaissances émues les maintiennent dans une posture sacrificielle. Une posture aux ambitions claires mais limitées, dont celle de faire de leurs enfants des adultes remarquables. Quelle mère peut tranquillement reconnaître que, par moments, les siens lui pompent son énergie, l'encombrent, envahissent son espace vital et limitent peut-être ses aspirations ? Pourtant, si elles admettaient que parfois elles en ont assez, elles seraient peut-être plus patientes à d'autres égards… La véritable émancipation féminine verra le jour lorsque les femmes se seront débarrassées de cette volonté d'incarner une maternité sans nuage, elles-mêmes n'étant pas en reste pour se soumettre à ces injonctions sournoises. Tant qu'elles persisteront à tirer la couverture de la maternité sur elles, elles se feront piéger par les qualités qui lui sont automatiquement associées – dévouement, sacrifice, disponibilité sans faille… – et seront entravées pour courir sur d'autres chemins.

Résister au syndrome de la bonne mère

C'est leur rôle à tenir auprès de leurs enfants qui, aujourd'hui, torpille le plus les femmes dans leur ambition. Toutes les petites phrases insidieuses – « elle ne les voit jamais, quand même, un enfant a besoin de sa mère » – entendues mille fois par celles qui s'adonnent à d'autres activités que leur maternité, réactivent leur culpabilité. L'idéal serait de laisser dire, de ne pas se laisser entamer par ce discours, d'autant que les enfants excellent à les remettre dans la case « maman », avec son lot d'obligations supposées. La seule issue à ces demandes ? Assumer son ambition, reconnaître sa cohérence. Les femmes qui vivent bien leur vie professionnelle et familiale réussissent à gérer leur temps, à l'investir différemment selon les moments. Quand elles sont avec leurs enfants, elles y sont pleinement, peut-être mieux encore que celles qui ont renoncé à leur passion et gardent l'air absent quand les leurs les sollicitent. Certaines femmes se font piéger par une image de mère gâteau qui a bonne presse, mais qui ne leur convient pas. En se drapant dans cette posture, en voulant s'afficher aux yeux de tous comme une mère parfaite, elles se fragilisent terriblement, car rien n'est plus friable que ce genre de piédestal. Dès que l'enfant rapportera une mauvaise note de l'école ou fumera son premier joint, elles s'effondreront.

L'injonction d'être mère

Celles qui n'ont pas d'enfant doivent affronter d'autres obstacles. Distinguons tout de suite celles qui en voulaient mais n'ont pu en avoir – elles seront considérées avec tristesse, voire un brin de commisération – de celles qui en font le choix, une décision qui s'apparente presque à un sacrilège ! Ces dernières ne doivent s'attendre à aucune indulgence, sans compter que le discours ambiant sous-entend que, forcément, elles vont le payer un jour… Certaines se sont posé la question et y ont renoncé, n'ayant pas trouvé le bon compagnon, au bon moment de leur vie, leur désir d'enfant n'étant pas à satisfaire à n'importe quel prix. Occupées à leur carrière ou à leur vie amoureuse, elles ont laissé tourner l'horloge biologique et s'exposent à ce qu'on leur ressorte fielleusement la morale de « La Cigale et la Fourmi ». Vous avez chanté ? Eh bien dansez maintenant, sans enfant… La maternité choisie est un acquis précieux, il est dommage qu'elle demeure tacitement obligatoire, et que la possibilité des femmes d'enfanter prenne des allures d'injonction. Avec un peu d'observation, vous constaterez que la question « avez-vous des enfants ? » est quasiment incontournable quand on rencontre une femme. Comme si son statut de mère, ou pas, avait quelque chose d'essentiel à nous dire sur elle.

Les femmes doivent se débarrasser non seulement du devoir d'être une bonne mère, mais de celui d'être mère, tout simplement. Cette pression sociale pousse certaines, qui au fond n'en avaient peut-être pas le désir, à mettre des enfants au monde, comme un devoir obligé de féminité, ce qui n'est pas le meilleur cadeau qu'elles puissent faire à leur progéniture. Ni à elles-mêmes. On entend trop souvent ce discours affirmant qu'une femme qui n'est pas mère ne peut être totalement femme. Dans ce tumulte de certitudes, certaines mettent une énergie suspecte à affirmer haut et fort qu'avoir des enfants est une hérésie. Une affirmation péremptoire pour justifier un choix sans doute mal assumé, ou une impossibilité. Une femme pourra dire « oui, je n'ai pas eu d'enfants, mais cela aurait pu se passer autrement, j'en aurais sans doute été ravie », à l'instar de Valérie Lemercier[1], qui à la question de n'avoir pas d'enfant répondait : « Je ne m'en plains pas. Mais je ne brandis pas ce choix pour autant. Je pense que c'est mieux, que c'est plus joyeux d'en avoir, c'est-à-dire, idéalement, d'en faire. Si l'âge me le permettait encore, j'en ferais. » Tout comme une mère pourrait dire que dans un autre contexte, si elle n'avait pas rencontré son compagnon, elle n'en aurait pas eu. Quoi qu'il en soit, la question de la maternité pèse décidément sur les femmes et leurs choix. Même celles qui ont l'ambition de leur maternité, qui jouissent d'un vrai bonheur à élever leurs enfants et préfèrent cette mission à une belle carrière, s'exposent aux reproches. La norme est de se battre pour tout conjuguer, même mal, plutôt que d'affirmer un choix personnel. Elle devra avoir de solides arguments à présenter à

1. *Télérama*, n° 3287.

ses copines qui travaillent, ou faire fi de leurs remarques. Les hommes dont l'ambition première est d'être père doivent s'attendre à plus de critiques encore, même s'ils commencent à oser le revendiquer. Oui, les lignes bougent : l'idée qu'une femme veuille forcément un enfant, que l'homme l'accepte pour lui faire plaisir – quand il ne se le fait pas faire dans le dos ! – n'est plus admise comme seule logique de vie. Se pose désormais la question bien réjouissante d'un désir véritable, et partagé, d'un enfant.

Un mouvement passionnant

Cet équilibre, ou plutôt ce déséquilibre, est une histoire d'homme et de femme qui se cherchent, se redéfinissent sans cesse, dans un mouvement passionnant. S'il n'est pas facile de trouver une cohérence dans cette ébullition, évitons de tomber dans le piège de la plainte et focalisons-nous sur cette formidable évolution, peut-être le domaine qui bouge le plus ! Toute avancée s'accompagne inévitablement de levée de boucliers, presque de façon simultanée. La famille évolue, nous ne sommes plus dans un schéma unique, n'en déplaise aux plus conservateurs qui ont souvent la mémoire courte... Désormais, il est possible d'avoir plusieurs vies de couple, et au lieu de nous réjouir de cette liberté, aujourd'hui conquise, de quitter une relation peu satisfaisante, nous déroulons immédiatement la litanie des risques et des inconvénients en pleurant que c'était mieux avant. Nous ne réalisons pas les progrès accomplis en cinquante ans ! Les premières dames de France, d'Yvonne de Gaulle à Valérie Trierweiler, en offrent une illustration intéressante. De la première, nous n'avons même pas trace du son de sa voix, son général de mari s'étant exclamé : « Un sous-secrétariat aux droits des femmes ? Et pourquoi pas un ministère du tricot ! » Bien sûr, les épouses de président seront de plus en plus présentes au fil des années, à commencer par Danièle Mitterrand, militante engagée, la première à afficher publiquement des désaccords politiques avec son mari. Dans un autre genre, le cas de Carla Bruni interpelle. Elle qui incarnait une certaine émancipation, revendiquant haut et fort ses conquêtes masculines, s'est engouffrée tête baissée dans le rôle d'épouse humble et soumise. Ses références à « mon mari » dans tous ses interviews prêtaient à sourire et laissaient interrogateurs : jouait-elle un rôle ou avait-elle trouvé celui auquel elle aspirait secrètement depuis des années ? Quoi qu'on pense du personnage, ce revirement traduit bien l'ambivalence dans laquelle beaucoup de femmes, moins en vue, se débattent. Quant à Valérie Trierweiler, si elle a accepté de contribuer à l'ascension de son compagnon vers la plus haute marche du pouvoir, elle a hésité à renoncer à sa propre carrière, illustrant le cas de conscience posé désormais aux femmes : son ambition ou la mienne ? La petite phrase de Laurent Fabius : « Qui va garder les enfants ? », quand Ségolène Royal a annoncé sa candidature à la présidentielle, est dans toutes les mémoires. Le tollé qu'elle a soulevé montre bien à quel point la remarque n'allait plus de soi. Il n'empêche : combien sont-ils, les deux sexes confondus, à trouver encore incroyable qu'un père s'occupe davantage des enfants que la mère ? Le mouvement en marche se saisit dans ses résistances. Méfions-nous des discours qui voudraient que les combats féministes soient devenus obsolètes. Les avancées s'accompagnent souvent de retours de bâton, comme aux États-Unis, où prolifèrent des mouvements qui remettent en question l'avortement, voire la contraception. Ces allers-retours font partie du chemin vers la libération. La question du féminin et du masculin n'est pas une pensée figée. Indéniablement, nous ne sommes pas les mêmes d'être homme ou femme, ici et maintenant. De même nous ne pouvons nier que nous sommes filles de mères et petites-filles de grands-mères, héritières de leurs féminités plus ou moins contrariées. Cette ambition qui cherche du côté de l'élan, de la pulsion, du désir, va forcément se cogner à des traditions, à une histoire. Pour autant, il n'est pas question de confondre cet héritage culturel avec une nature féminine.

De l'inné et de l'acquis

Cette énergie vorace, propre à l'ambition, n'est pas l'apanage des hommes. Mais elle s'exerce chez eux de manière évidente et légitime depuis tellement longtemps que les femmes, plus novices dans l'exercice, peinent à la vivre aussi librement. Et le discours ambiant sur les deux sexes, réduits le plus souvent à des caricatures, ne les y aident pas. Les femmes sont douces ? Certes, les petites filles, éduquées à ne pas se bagarrer, ne tapent pas avec leurs poings de peur de passer pour des garçons manqués, mais leurs coups portés par les phrases assassines ne font pas moins mal. Les femmes sont bavardes ? Oui, mais dès qu'il faut prendre la parole en public, les hommes montent aussitôt au créneau, orateurs consacrés. Les femmes savent écouter ? Pas vraiment plus que les hommes, c'est l'humain dans son ensemble qui peine à écouter. L'écoute est une qualité rare qui s'acquiert au fil de la vie, plus qu'elle n'est donnée au berceau.

Il suffit d'analyser de près ces différences, présentées comme innées, pour nous rendre compte qu'elles sont truffées d'exceptions, et que le sexe ne procure aucune qualité en soi. Les passionnants travaux de la neurobiologiste Catherine Vidal[1] remettent les pendules à l'heure sur le rôle de l'inné et de l'acquis, notamment en pointant l'extraordinaire plasticité de notre cerveau. Pour cette spécialiste, nos circuits neuronaux évoluent au gré de notre vie personnelle. Seulement 10 % sont présents à la naissance, 90 % se construisent au fil de notre histoire. Ainsi, le cerveau d'un violoniste, comparé à celui d'un rugbyman, n'a pas du tout la même configuration, quel que soit le sexe, mis à part le fait qu'on encourage plus volontiers les filles vers la musique, et les garçons vers le ballon ovale. Ces recherches ont rendu obsolètes les distinctions entre cerveau droit et cerveau gauche qui expliquaient nos comportements sexués. Mais les résistances vont bon train, tant nous nous accrochons à ces différences soi-disant innées qui nous rassurent au moins sur deux plans : elles viennent flatter notre désir d'un monde stable, où chacun aurait une place bien définie, et nous dédouanent de toute remise en question. Si les hommes viennent de Mars et les femmes de Vénus[2], nul besoin de

1. Notamment dans *Cerveau, sexe et pouvoir*, co-écrit avec D. Benoît-Browaeys, Belin.

2. *Ni Mars, ni Vénus*, Sophie Cadalen, Leduc éditions, 2006.

faire d'efforts pour s'améliorer, ni de se sentir coupables de nos comportements : que voulez-vous, c'est la nature, féminine ou masculine, qui en décide... Certains scientifiques ont d'ailleurs tellement de mal à renoncer à leurs préjugés qu'ils occultent ces données, alors qu'elles sont prouvées par des IRM ! Plus les découvertes s'étoffent, plus les certitudes s'effondrent, même les dosages hormonaux apparaissent aléatoires. De là à nier toute différence, à éviter le débat, il n'y a qu'un pas que franchissent les tenants de la question du genre en faisant de la distinction homme/femme une unique affaire de culture. Tous pareils ? Non, mais assurément chacun différent ! La différence corporelle s'expose au regard, elle est incontournable et nous définit aussi. La seule question valable est « qu'en faisons-nous ? ».

Sois un homme !

S'il est plus libre d'assumer ses choix, moins coupable de chercher à réussir sa vie en dehors de ses enfants, l'homme n'est pas mieux loti pour suivre son ambition dès qu'elle s'éloigne des chemins tracés. Lui aussi a deux mille ans d'histoire derrière lui... Prenons celui qui n'est pas animé d'une ambition estampillée comme telle, c'est-à-dire, dans certains milieux, d'un désir de carrière et de réussite financière : sa route sera aussi incertaine que celle d'une femme cherchant à imposer la sienne. Ses parents vont s'inquiéter : leur fils n'aurait-il aucune ambition ? Beaucoup de femmes, qui demandent à l'homme d'être celui qui assume, réclament de lui ce caractère conquérant. Les seuls à qui on laisse un peu de marge de manœuvre sont les artistes et les aventuriers, parce que leur choix ne remet pas en cause une certaine image de la virilité. Sauf si leurs frasques ou lubies sont jugées immatures... Combien de femmes se plaignent de ne pas pouvoir compter sur leur compagnon ? De ne pas trouver une épaule sur laquelle se reposer ? Ce pilier pour les soutenir, les femmes le réclament comme un dû, et toute la société va dans ce sens. L'homme doit être la colonne vertébrale du couple, notamment économiquement, même si cet aspect ne résume pas tout ce que l'on attend de lui, le salaire féminin étant toujours considéré comme la cerise sur le gâteau, pas celui qui permet d'acheter le lait et la farine... Les vieux schémas ont la vie dure, en témoigne la difficulté d'une femme à gagner plus que son conjoint, un cap à passer pour le couple. Même s'ils sont prêts à l'accepter intellectuellement, cette inégalité de revenus, surtout si elle est importante, produit une déflagration dont certains ont du mal à se remettre. Quant à ceux qui étaient d'emblée dans cette répartition – elle, occupant un poste plus en vue, ayant des responsabilités – ils ne sont pas à l'abri d'un retour de bâton. Souvent, au début de la vie commune, la situation leur a paru acceptable, mais très vite, les critiques se focaliseront sur cette disparité, comme si elles venaient les rassurer sur un ordre supérieur qui organise la vie comme elle doit être. Prenons cette femme, très décideuse dans son travail et dans son couple : aimant voyager, elle a fait découvrir l'Inde et bien d'autres pays à son compagnon, ravi de ces escapades qu'il n'aurait sans doute jamais eu le cran ni les moyens de faire sans elle. Après quelques années, elle s'est mise à lui reprocher de ne jamais planifier aucun voyage, alors qu'il est clair que s'il le faisait, ce ne serait pas comme elle le voudrait. Ne vaudrait-il pas mieux qu'elle continue à faire ce qu'elle aime et sait faire, organiser leurs aventures, et laisser à son compagnon d'autres secteurs qu'il maîtrise mieux qu'elle ?

Ces femmes, ravies de briguer de nouveaux territoires qui leur étaient jusque-là interdits, sont parfois les premières à soupirer : « Il n'y a plus d'hommes ! » Mais si, il y a autant d'hommes que de femmes ! Quant à celles qui se plaignent de leur faire peur, ce n'est pas leur puissance, leur autonomie, leur liberté qui rebutent ces derniers, mais leurs demandes muettes de prise en charge. Une terrible exigence, qui peut effectivement en effrayer plus d'un... Ce qu'elles réclament en fait ? Que l'homme les débarrasse de leurs contradictions, qu'il incarne cette figure toute-puissante et encourage en même temps leur ambition. Oui, mais que l'on soit homme ou femme, personne ne peut nous soulager de nous-mêmes...

Fais-moi jouir !

Autre pan qui témoigne d'une inégalité persistante, freinant les velléités de chacun à se sentir libre : la sexualité. De nombreux hommes investissent beaucoup de leur virilité dans ce domaine, dans leur capacité à faire jouir leur partenaire, s'imposant là une pression énorme. De leur côté, certaines femmes renvoient cette même exigence à leur compagnon, quitte à brandir la menace de les quitter si elles n'atteignent pas ces orgasmes qu'elles considèrent comme un dû. Ce faisant, sous couvert de libération, ces femmes s'installent dans une position archaïque, qui voudrait que leur jouissance dépende exclusivement de l'homme. Pas facile pour ce dernier d'être sommé d'assurer socialement en occupant un poste prestigieux et rémunérateur, d'être un père attentif et présent, et d'assurer au lit... On ne compte plus les articles de magazine féminin qui posent la question : « Est-ce un bon coup ? » supposant que les femmes n'ont rien à voir à l'affaire. Il n'est pas étonnant que ce soit les hommes qui aient désormais la migraine pour échapper à une sexualité si contraignante... Dans leur combat légitime à conquérir leurs libertés, y compris sexuelles, des femmes posent dans l'intimité leurs exigences, comme si c'était leur droit indiscutable, certaines ne tolérant pas que les hommes imposent eux aussi quoi que ce soit. Flotte désormais un petit air de vengeance féminine : depuis deux mille ans, vous avez eu tous les pouvoirs, à notre tour ! Une lutte dont personne ne peut sortir vainqueur.

Des pouvoirs au pied d'argile

Tant que les hommes et les femmes se définiront à l'aune de pouvoirs illusoires, ils auront du mal à briguer leur belle ambition. L'homme qui assoit toute sa virilité dans son poste à responsabilité, sa grosse voiture ou son érection ferme et conquérante, que se passera-t-il le jour où il sera au chômage, où il tombera amoureux d'une femme qui déteste les voitures, où il aura une panne sexuelle ? La femme dont la féminité tient entièrement dans sa séduction et ses attributs extérieurs, ou dans sa maternité, que se passera-t-il quand l'âge viendra malmener son image, qu'une autre sans talons aiguille dégagera une féminité bien supérieure à la sienne, que ses enfants la contesteront ? Leur monde s'écroulera, et eux avec. Se raccrocher exclusivement à ces phallus censés garantir leur puissance est dangereux car ils sont friables et sans cesse menacés de perte. La femme, comme l'homme, seront bien plus assurés s'ils ne se réduisent pas à ces pouvoirs imaginaires, s'ils ne se croient pas tenus par ces images en tous lieux et en tout temps, appliqués à les brandir et les agiter comme preuve infaillible de leur valeur. Pour jouir d'une féminité ou d'une virilité assumée, nous ne devons pas nous en remettre à l'autre pour être validé comme homme, comme femme, nous n'avons aucune autorisation à quémander. À ce moment-là seulement, au lieu de nous comparer, nous pourrons nous faire mutuellement confiance, nous épauler, et sortir de siècles d'inégalités.

Le combat continue

Les changements vont plus vite que notre capacité à les digérer et deviennent source d'angoisse et de repli. Le féminisme agressif de la première période est souvent critiqué, mais pouvait-il en être autrement dans le contexte de la France des années 1970 ? Les femmes ont dû se montrer pugnaces, intransigeantes, comme les Révolutionnaires n'ont pas eu d'autre choix que de couper la tête du roi pour établir la république... Aujourd'hui, le combat continue en profondeur – reste à s'occuper des strates inférieures. La situation n'est plus aussi tranchée qu'il y a quelques décennies, nous ouvrons la palette des nuances, à de regrettables dérapages près... Ainsi, Anne Sinclair a fait preuve d'une sacrée force pour rester debout sous le feu des féministes qui la sommaient de s'expliquer – de quel droit ? – sur son intimité. Chaque fois qu'un ou une journaliste tentait de s'immiscer dans sa vie de couple, elle rétorquait à juste titre : « Cela ne vous regarde pas. » La situation évolue, lentement mais sûrement, comme en atteste un récent article paru dans un magazine féminin[1], avec ce titre prometteur : « Pourquoi ils aiment les femmes qui réussissent. » S'ensuivent trois portraits d'hommes qui vivent avec une compagne au salaire et au poste plus élevés que les leurs et qui affirment qu'à son contact, ils se sentent plus forts, plus entreprenants, comme si l'énergie

1. *Marie-Claire,* novembre 2012.

de cette dernière rejaillissait sur eux. Même si cette configuration est encore loin d'être entrée dans les mœurs, on ne peut que se réjouir d'une situation encore totalement inimaginable il y a seulement trente ans.

MON AMBITION, LA TIENNE, LA NÔTRE

> « On croit que c'est autre chose qui sauve les gens : le devoir, l'honnêteté, être bon, être juste. Non. Ce sont les désirs qui sauvent. Ils sont la seule chose vraie.
> Si tu marches avec eux, tu seras sauvée. »
>
> Alessandro Baricco

Miroir, mon beau miroir…

Dans un couple, l'idée qu'on ne peut être libre ensemble, et que nos ambitions vont forcément entrer en compétition, est tenace. Pourtant, quand elles sont réellement assumées de part et d'autre, à partir de nos deux aspirations différentes, va s'ouvrir un autre champ d'action qui sera celui de notre couple. De ce « moi » distinct de « toi », nous pourrons, chacun à notre façon, inventer une façon de cheminer ensemble. Nous aurons des projets communs – des enfants, une maison à retaper... – et des ambitions personnelles, qui ne menaceront pas notre duo mais l'enrichiront. Le couple sera ce qui nous lie, sans que nous dépendions absolument de lui, sans être obligé de n'exister qu'à travers l'autre. Malheureusement, cette configuration réjouissante est loin d'être la règle, le couple fonctionnant souvent en miroir : l'un attend inconsciemment de l'autre qu'il soit comme lui, ou encore comme il ne s'autorise pas à être, qu'il prenne en charge ses aspirations non assumées, attentes et fonctionnement voués à l'échec. Le voyage à deux ne peut pas se faire si nous nous figeons chacun dans un rôle, si notre cadre est trop rigide. Cet immobilisme est souvent dicté par nos peurs, par la tradition à laquelle, par confort, nous aspirons. Ainsi, une femme qui s'est autorisé une carrière ambitieuse peut vouloir un compagnon avec lequel elle n'ait rien à décider, la vie ainsi lui paraîtrait bien ordonnée. Le bémol ? Si elle est dirigeante au travail, elle aura tendance à l'être dans sa vie amoureuse, et plutôt que d'assumer cette dimension de sa personnalité, elle ne cessera de demander à l'homme d'être ce fameux pilier dont nous parlions plus haut, demande qui, quoi qu'il fasse, sera impossible à satisfaire. Autre exemple de cette recherche de miroir : un homme ne comprenait pas que sa femme n'ait pas d'ambition et se plaignait de tout porter sur ses épaules. Mais que voulait-il vraiment ? Que sa femme ait de l'ambition – la même que lui – pour s'autoriser la sienne ? Qu'elle le dédouane ? Sauf qu'elle lui répondait : « C'est ton histoire, pas la mienne, je ne te critique pas, laisse-moi être différente de toi. » L'identité sexuelle ne change rien à l'affaire : des couples homosexuels fonctionnent sur l'altérité, tandis que bien des hétérosexuels ont du mal à la respecter. Ils ont besoin de l'autre pour légitimer ce qu'ils font, ou le prendre en contre-exemple. Être en couple ce n'est pas forcément se comparer ou s'attacher : c'est être « avec » l'autre, non « par rapport à » l'autre ni « grâce à » l'autre. Quand les deux membres du couple sont enchaînés, qu'aucun ne peut tenir debout seul, ils sont plus aliénés qu'amoureux.

Une ambition réussie n'enlève rien à l'autre

C'est sans doute très ambitieux de choisir un compagnon ou une compagne dont l'ambition accompagnera la nôtre. Pour réussir ce pari, prenons conscience de ce rôle que l'on dévoue à l'autre et qui le coince, ayons le respect de qui il est, de ses désirs. Certains hommes ne craignent pas l'ambition de leur compagne, voire l'encouragent, à l'instar du peintre mexicain Diego Rivera, soutien inconditionnel de Frida Kahlo. Diego s'est toujours battu pour qu'elle expose ses toiles, il la grondait quand elle ne peignait pas et affirmait à la presse qu'elle était bien plus douée que lui. Même s'il y avait de la coquetterie dans ses propos, il désirait ardemment que le talent de sa femme soit reconnu, il n'en avait pas peur, bien au contraire. De même, Jean-Paul Sartre a toujours soutenu Simone de Beauvoir dans ses combats, ne prenant jamais ombrage de ses succès. Les ambitions peuvent s'épanouir de façon réciproque, à partir du moment où l'un n'enlève rien à l'autre, où, selon l'expression de Jacques Lacan, c'est du « plus de jouir » dont profite le couple. Quelle que soit la façon dont ces duos se sont organisés, aucun de ses membres n'a cédé sur sa propre ambition : Diego a continué à être un peintre reconnu, Jean-Paul Sartre le philosophe adulé de son époque. Plus près de nous, le couple d'astronautes Claudie et Jean-Pierre Haigneré ont fait tous deux, et dans le même domaine, une carrière prestigieuse, tout comme le couple Bill et Hillary Clinton, qui se sont passé le relais des plus hautes responsabilités politiques. Toutefois, il est clair que les exemples de femmes supporters de leur mari sont infiniment plus nombreux, et bien plus admis socialement. Et si l'ambition de ces femmes de l'ombre était de faire éclore et reconnaître le talent de leur mari ? Anne Sinclair avait le désir que son mari soit président, une ambition qui d'ailleurs n'était peut-être pas celle de son époux... Porter son homme est un moteur tout à fait louable, à condition d'y trouver son compte.

Car d'autres souffrent en silence de ranger leur passion au rayon des souvenirs, à l'instar d'Alma Mahler, également grande musicienne, ou de Camille Claudel, qui vécut dans l'ombre de Rodin alors qu'elle avait un talent immense. Les hommes ont encore plus de mal à reconnaître le succès de leur femme, surtout s'il est susceptible de leur faire de la concurrence. Le couple que formaient Serge Gainsbourg et Jane Birkin a commencé à battre de l'aile quand cette dernière s'est affranchie de son pygmalion. Gainsbourg supportait mal qu'elle vole de ses propres ailes, à tel point que lorsqu'on lui demandait ce qu'il préférait chez elle, il répondait : « Moi. » Une boutade pas si innocente... Si de nombreuses femmes écrivains regrettent que leurs compagnons ne lisent jamais leur livre, l'inverse est moins vrai. Il existe une réelle forme de résistance à la reconnaissance de l'ambition de la femme, et un gouffre certain entre le discours convenu et la réalité. Le cap à passer ? « Mon succès ne t'enlève rien. » Quels que soient ses choix, le couple est menacé s'il est taraudé par la question : « Qu'as-tu que je n'ai pas ? » ou pire : « Que me prends-tu ? » Ces nouvelles aspirations féminines ont mis indéniablement de la compétition dans le couple, là où l'équilibre s'était construit sur la complémentarité : madame tenait la maison, monsieur devait réussir à l'extérieur. Si tous deux revendiquent une part de lumière, s'établit forcément une comparaison avec celui qui la capte le plus. Toutefois, ne nous leurrons pas : dans le couple, la compétition a toujours existé, de façon certes moins flagrante puisque les territoires étaient distincts. Beaucoup d'hommes avaient – et ont encore – besoin d'asseoir leur pouvoir en assénant à leur femme que sans eux, elles ne seraient rien, quitte à leur faire boire la tasse pour rester la tête hors de l'eau. Quant aux femmes qui n'avaient d'autorité que dans leur foyer, certaines excellaient à rabaisser sans cesse leur mari, ne serait-ce que par le biais d'une sexualité qu'elles consentaient ou pas. La compétition n'avait pas lieu sur le terrain professionnel, mais les enjeux de pouvoir existaient bel et bien !

L'ère de la négociation

S'il est clair que le couple ne permet pas *a priori* une liberté absolue, il n'empêche pas d'être libre avec l'autre, une aspiration qui en passera forcément par des aménagements, des réajustements permanents. Peut-être d'ailleurs ne revendiquerons-nous pas les mêmes libertés, n'ayant ni les envies, ni les ambitions de notre partenaire. Aujourd'hui les tensions s'expriment de manière consciente et assumée : je veux ce poste qui m'oblige moi aussi à rentrer tard le soir, comment faisons-nous ? La négociation est devenue permanente, ce qui est moins évident mais plus intéressant, même si les femmes cèdent encore davantage quand leur ambition s'affronte avec celle de leur mari. Inconsciemment, celle-ci continue de leur sembler plus légitime que la leur : dans le cas des expatriés, par exemple, ce sont souvent les épouses qui suivent leur conjoint. Ce que l'on met sur le compte de l'égoïsme masculin est le fruit d'une histoire ancienne de laquelle, hommes et femmes, nous ne pouvons nous dégager d'un seul coup, même si le discours officiel nous y autorise. Certes, il faudra parfois en rabattre, faire des choix pour ne pas mettre notre couple en péril, sans pour autant sacrifier notre désir sur l'autel des intérêts communs. Ne peut-on pas envisager par exemple différentes façons d'être parent, en fonction de nos ambitions ? Ne peut-on ajuster les trois espaces de notre couple – celui de l'un, de l'autre, et de notre « nous » – au gré de la vie et des événements ? Certaines femmes auraient tout intérêt à s'avouer que leur rôle de mère n'est peut-être pas celui qui les intéresse le plus. Sans être moins aimantes ni indignes, elles détestent les collages et les discussions au square, tandis que leurs compagnons adorent monter des avions miniatures pendant des heures sur le tapis du salon. Certains pères choisissent des activités qui leur permettent de rentrer tôt et profiter de leurs enfants. En admettant que le couple soit d'accord sur cette distribution des rôles, tous s'y retrouvent. De toute façon, et contrairement à ce que l'on voudrait nous faire croire, nous n'allons pas pouvoir tout assurer de la même manière, des choix et des répartitions des tâches vont s'imposer. Oui, nous pouvons être mère, briguer des postes à responsabilités, à condition de reconsidérer nos différentes casquettes, de ne plus nous sentir indispensable sur tous les fronts. Notamment ceux de la maison et des enfants. Se reposer sur l'autre, c'est aussi lâcher un peu de son pouvoir, ce qui pour certaines femmes, nous l'avons vu, est difficile, voire impossible. Aux femmes et aux hommes de se demander d'abord ce qui est vraiment important pour eux, indépendamment de l'autre. Nous sommes à l'ère du chiffre, des statistiques qui balisent nos parcours et nos conduites à tenir, étayées par la loi du plus grand nombre, éludant la seule question qui vaille : quelle est ma jouissance ? Il n'existe aucune possibilité de l'évaluer à l'aune d'autrui. Et si je ne jouis pas moi-même, la jouissance de l'autre m'est insupportable, car quelles que soient mes théories sur la liberté, ce qu'il désire hors de moi me renvoie au néant. La seule façon de me préserver ? Avoir moi-même des désirs, ne pas les perdre en chemin. Ce qui ne signifie en aucun cas que mon couple va fatalement se perdre de vue, bien au contraire : forts de nos épanouissements, ce « nous » auquel sans cesse nous reviendrons n'en sera que meilleur.

Mon couple, mon ambition

Réussir notre vie de couple peut être notre plus belle ambition. L'amour n'est-il pas un objectif des plus précieux ? Les réussites financières et sociales ne pèsent pas lourd si je n'ai pas aimé, ni été aimé… Toutefois, ce beau projet nécessite de nous en remettre à nous, seulement à nous, et d'accepter que ce soit un voyage vers l'inconnu. Il existe une multitude de manuels destinés à nous tenir la main pour réussir dans cette entreprise, à coups de recettes souvent cocasses, quand elles ne sont pas tragiques, à l'instar du best-seller déjà cité *Les hommes viennent de Mars, les femmes de Vénus.* Si nous revenons sur ce titre, c'est d'abord à cause de sa notoriété, mais aussi parce qu'il porte en lui tous les ingrédients d'une vie de couple qui passe à côté de son ambition. Mis à part qu'il est insultant pour les deux sexes – madame est niaise, monsieur, une brute épaisse et obtuse – son succès repose sur un mirage : comme si nous pouvions savoir exactement comment l'autre va se comporter et faire ainsi l'économie de nos conflits ! Et c'est tout le paradoxe de ce livre de nous expliquer qu'en fait une telle démarche est vaine ! Essayer d'harmoniser nos désirs, nous demander qui est vraiment notre compagnon, notre compagne, inventer ensemble de nouveaux chemins, tout ce qui rend vivant le couple est condamné d'avance à cause de nos foutues incompatibilités. Est plutôt encouragée, exercices à l'appui, la manipulation de l'autre pour qu'il accède à nos demandes, sont indiqués le nombre de « je t'aime » à lui susurrer tant de fois par semaine, les cadeaux à lui offrir ou la voiture à lui laver… Mais peut-on sérieusement croire qu'il existe un mode d'emploi pour aimer et être aimé[1] ? Notre

1. *Tout pour plaire… et toujours célibataire*, Sophie Cadalen, Sophie Guillou, Albin Michel.

besoin de réassurance est tel que nous finissons par gober ces conseils absurdes, qui nient la dimension inconsciente de l'amour et se retournent contre nous. Dans le *Manuel de chasse et de pêche à l'usage des filles*[1] de Melissa Bank, l'héroïne suit pas à pas les consignes dictées par ce genre d'ouvrages pour gagner le cœur d'un homme. Ce dernier, dérouté par son comportement, finit par lui dire sa déception et décrit le type de femme qu'il aimerait rencontrer : exactement elle, avant qu'elle ne suive ces conseils stupides. C'est méconnaître l'humain que de porter crédit à cette « littérature », c'est ignorer qu'à partir du moment où nous sommes pris dans le désir et l'attirance vers l'autre, notre volonté n'est plus d'un grand secours. Seul un Don Juan ou une femme fatale peut attraper une proie dans ses filets, justement parce qu'aucun n'est réellement troublé. Mais dès qu'ils tombent amoureux, leurs tactiques échouent. Pour faire vivre notre couple dans sa belle ambition, il va nous falloir nous délester de l'illusion de l'éternité. Notre couple durera ce qu'il durera, nous n'avons aucune garantie qu'il ne s'essouffle au long cours. Ce fantasme d'avoir trouvé la « bonne » personne qui va nous garantir une vie sans doutes, sans remise en question, nous assurerait d'être arrivés une bonne fois pour toutes dans un lieu, le couple, où plus rien ne

1. Éditions Rivages.

bougerait. Mais ce faisant, c'est le désir, moteur de notre belle ambition, que nous enfermons et étouffons dans la cage pas si dorée de l'éternité. Pourquoi ce vœu mortifère ? Parce que notre désir nous dérange, nous effraie, et que nous aimerions en être déchargé par l'autre qui, sans doute, aspire à cette même immobilité. Mais un couple ambitieux n'est jamais arrivé à destination, il avance, il ne cesse de réapprendre l'amour. La connaissance de l'autre, et de soi au travers de cet autre, n'est jamais acquise et définitive. Pour s'aimer au long cours, il faudra se défaire de cet imaginaire du « bon choix », du « pour toujours ». C'est en improvisant que nous accéderons peut-être au secret de la durée, un savoir qui ne s'enseigne pas, ne se trouve dans aucun manuel, chacun de nous étant singulier, et le duo que nous formons forcément unique. Oui, il faut nous y résoudre joyeusement : personne n'aime comme nous aimons. Cette singularité est ma différence, ma richesse. Si elle signe aussi ma solitude, car je ne serai jamais tout à fait compris dans mes aspirations par mon partenaire, elle dit aussi que je pourrais être entendu. Et c'est dans cet espace laissé vacant, celui de notre différence, que va s'alimenter mon désir, mon amour.

Je veux tout !

Nous nous complaisons dans des choix binaires, faisant fi que nous sommes tout et son contraire, passivité et activité, que nous voulons l'autonomie et l'abandon, opérant notre petite cuisine entre ces différentes aspirations. Combien d'interviews tournent autour du thème « réussir sa vie professionnelle et sa vie de couple », comme s'il s'agissait d'une équation impossible. Comme s'il fallait forcément choisir entre les deux. Mais pourquoi ravaler cette ambition de tout réussir ? Le travail n'est pas en soi une menace pour le couple, à condition que l'autre ne soit pas en attente et ait de son côté ses propres satisfactions. Face à l'affirmation de notre désir, l'autre se trouve inconsciemment confronté au sien et, parfois, à sa propre incapacité de l'assumer. Le souci n'est plus alors de notre côté, mais du sien… Le couple est une association de désirs, toujours, chaque désir portant ses ambitions personnelles. Sauf que nous raisonnons sur le mode du « ou/ou », pensant ainsi contrôler et organiser notre vie. Mais c'est l'inverse qui se passe : si la vie amoureuse se fait au sacrifice de la vie professionnelle ou vice versa, la frustration sera de la partie. La solution est, une fois encore, d'apprendre à compter jusqu'à trois, d'ouvrir une autre voie…

Si nous sommes dans cette valse-hésitation, c'est que nous ne sommes pas encouragés à en vouloir plus. Il y a même une espèce d'impudeur à s'épanouir sans en payer un coût quelconque, à ne pas sacrifier un domaine à l'autre. Nous ne sommes jamais totalement heureux ici, malheureux là. Celui ou celle qui affirme avoir réussi sa vie professionnelle mais pas sa vie amoureuse, de quelle réussite parle-t-il vraiment ? De celle reconnue socialement comme telle ? Répétons-le, être bien dans sa vie suppose une énergie qui circule, un Ça qui va, des moments heureux parmi d'autres qui le sont moins.

C'est sa faute !

Nous sommes les premiers à ravaler nos désirs, quitte à en faire porter la responsabilité aux autres, et notamment à notre partenaire. L'exemple de cet homme, qui a renoncé à sa carrière de soliste à l'Opéra parce que sa femme l'avait exigé, pour ensuite le traiter de minable toute sa vie, soulève une question : pourquoi a-t-il accepté ? Peut-être avait-il peur, peut-être préférait-il inconsciemment caresser le fantasme de la grande vedette qu'il aurait été, si sa femme n'était pas venue interrompre sa carrière ? Dans un couple, l'ambition contrariée est toujours une histoire à deux. En évitant de reconnaître notre responsabilité, nous restons dans une position confortable de victime, même si elle est peu satisfaisante, cajolant tous les « ah si » qui n'engagent à rien. Pour que vive l'ambition dans un couple, nous l'avons dit, nous ne ferons pas l'épargne de la négociation. Nous allons parfois comprendre que la réponse de l'autre n'est pas celle que l'on soupçonnait, mais peut-être celle qui nous offre une liberté effrayante ! « Tu veux bien que je m'attaque à l'Everest, tu es sûre ? » s'inquiétait un homme dont c'était le rêve, tout en se cachant depuis des années derrière l'idée que sa femme s'y opposerait. Ses craintes étaient jusque-là refoulées derrière un interdit supposé, mais l'acceptation de sa compagne l'a placé devant ses responsabilités.

Une dépendance qui soude le couple

Qu'il est confortable d'accuser l'autre de nos insuffisances, ah, s'il n'était pas là, on verrait ce que l'on verrait ! De nombreux couples entretiennent ces liens de dépendance autour d'insatisfactions réciproques. Inconsciemment, ils ont ainsi l'impression que leur couple est plus solide dans ce réseau de contraintes croisées, dans ces attentes toujours déçues et souvent muettes. Une logique, propre à la névrose, que l'on pourrait résumer ainsi : « J'attends de toi quelque chose que tu ne me donneras pas – prendre en charge mon ambition par exemple –, donc tu vas me décevoir, donc, je peux rester en attente d'une amélioration. Je te laisse une possibilité de rattrapage et me laisse moi-même en suspens », évitant par là de se risquer soi-même à une mise en acte de ses désirs. « Améliore-toi pour me rendre heureux/heureuse », est une exigence lancinante dans beaucoup de couples, sauf que l'autre ne peut rien contre nos résistances inconscientes. Il peut nous soutenir mais ne pourra les affronter ou les faire tomber à notre place. Il ne nous doit pas le bonheur, une aspiration vers laquelle nous devrons tendre et œuvrer ensemble, et assumer chacun son ambition est certainement la meilleure façon d'y parvenir. Mais souvent, nous préférons ne pas nous prononcer sur nos envies, car elles nous exposent et pourraient bien être prises en compte ! Dans ces couples, personne ne se questionne sur ses désirs, ni ne questionne l'autre.

Trop n'est jamais assez

Nous nous sentons souvent coupables de trop en demander, même si ce « trop » est possible et aménageable au sein de notre couple. C'est comme s'il y avait une juste mesure à respecter, d'autant plus tyrannique qu'elle n'est pas rationnelle. Nous en revenons à cet éloge des petits plaisirs que vante notre époque, souvent au sens le plus ratatinant du terme. Même si nous en avons l'énergie, nous sommes encouragés à ne pas trop investir dans différentes directions, implicitement menacés d'un retour de bâton. Toute mère est confrontée à cette tempérance obligée : si elle a de nombreuses activités qui débordent le cadre familial et conjugal, les enfants vont forcément trinquer. À la première difficulté, l'entourage chuchotera d'un air entendu qu'elle ne s'en occupe pas assez – jamais le père, d'ailleurs... La remarque émane souvent de mères qui ont sacrifié leur vie pour leurs enfants et supportent mal qu'une femme ne fasse pas comme elles, qu'elle ne se soit pas assujettie à ce devoir imaginaire de maternité. Les voilà confortées dans leur choix, rassurées par l'idée que des ambitions personnelles se payent, occultant le fait qu'une mère bien dans sa vie fait un cadeau magnifique à ses enfants, et leur autorise l'ambition de leur future réalisation. L'interview de Dominique Levy[1], première femme directrice d'Ipsos France, en est un bon exemple. La journaliste qui l'interviewe

1. *Elle*, 5 octobre 2012.

nous rassure tout de suite : cela ne l'empêche nullement de s'occuper de ses trois fils et de son mari ! Ouf, nous commencions effectivement à être inquiètes...

À la question : vous sentez-vous *parfois* coupable – on apprécie la nuance – voici sa réponse : « Non. Mes enfants ne sont pas une source de stress, j'ai confiance en eux. Bien sûr, ils me disent que je ne suis pas assez là, mais ils me disent aussi que je suis trop sur leur dos ! Je n'ai qu'un seul indicateur, leur bien-être. Mes enfants vont bien, ils réussissent normalement à l'école, ils sont sociables, bien élevés et ont beaucoup d'humour. Quand je leur ai dit que j'allais répondre à vos questions, ils m'ont taquinée : "Pffff... C'est plutôt Ségolène Royal qu'il faudrait interviewer !", ça m'a fait beaucoup rire. » Elle ajoute que son mari, qui a également un poste important, s'occupe des enfants, preuve qu'on peut conjuguer vie de famille et vie professionnelle s'il existe un réel partenariat dans le couple. Sans être dans ces milieux de postes à haute responsabilité, nous connaissons tous des couples qui s'organisent aujourd'hui pour aller chercher les enfants à tour de rôle, ou dégager du temps pour que chacun puisse faire du sport.

Une fois encore, nous cajolons l'idée que décidément, nous ne pouvons pas tout avoir... Oui, effectivement, il existe un principe de réalité, mais avons-nous envie de tout ? Essayons d'avoir pas mal de choses qui nous intéressent et peuvent s'accorder entre elles, d'une façon qui nous sera forcément personnelle. Se résigner à ne pas tout avoir, en refoulant ses ambitions, est une position névrotique qui, au final, conduit à ne rien choisir. Le « pas tout », lui, nous ouvre des choix, quitte à faire des allers-retours entre ceux-ci, jusqu'à trouver ceux qui l'emportent.

Des liens plus libres

Enfin, regardons ce qui se passe aujourd'hui dans les familles recomposées, moins souvent organisées par des devoirs, des lois, des obligations. Les liens sont sans doute plus difficiles à construire, mais la liberté y circule souvent mieux. Dans les familles dites classiques, quand elles sont névrotiques, les membres sont tous agglutinés les uns aux autres, mais souvent ne peuvent pas se supporter. Dès que l'un s'éloigne un peu, il est accusé de ne pas avoir le sens de la famille, car il n'existe aucun espace pour s'individualiser. Quand on reconnaît à nos enfants une individualité, c'est un atout précieux pour les aider à cerner leur ambition : la famille devrait être le lieu où l'on essaie de ne pas s'ennuyer ensemble. Les grands-parents devraient séduire leurs petits-enfants plutôt que leur imposer une affection de convention, au risque qu'ils n'aillent plus les voir dès qu'ils pourront y échapper, car l'amour n'est jamais garanti, ni dans le couple, ni en famille, ni ailleurs.

L'AMBITION À L'ÉPREUVE DES ACCIDENTS DE LA VIE

> « Mon secret a constitué à vivre ma vie en refusant d'être victime. »
>
> Arundhati Roy

Crise ou mutation ?

Nous aimons parler de crise : celle de l'adolescence, des trente ans, des quarante ans, des cinquante qui sont censées baliser notre parcours. Mais la vie elle-même n'est-elle pas un bouleversement permanent ? N'est-ce pas le dieu Chaos qui, dans la mythologie grecque, est le premier à l'origine du monde ? Dans son dernier livre, *La Crise sans fin,* la philosophe Myriam Revault d'Allonnes explique que la crise, telle que nous la pensons, dure depuis trop longtemps pour être encore qualifiée comme telle. Ne vaut-il pas mieux parler de mutation ? Le monde bouge, les vieux modèles ne fonctionnent plus, nous n'avons pas encore trouvé les nouveaux. Un tel mouvement fait écho au psychisme, qui évolue constamment lui aussi. Il n'est pas étonnant que de nombreux romans démarrent sur un événement douloureux, qui fait sortir le héros de ses rails, moteur dramatique encore d'un grand nombre de séries télévisées. Prenons une trame type : le personnage principal, arrivé à Paris pour faire carrière, revient sur ses terres à la mort de ses parents, retrouve ses racines et relance l'exploitation familiale, évidemment avec succès. L'idée sous-jacente de ces contes de fées pour adultes ? Une rupture offre l'occasion d'un retour sur soi et de nouveaux choix. Et il est vrai que les accidents de la vie, tels que la maladie, le deuil, le chômage, la mort sont autant d'événements qui font déflagration, et peuvent redistribuer les cartes. Le deuil va nous faire prendre conscience de la fragilité de la vie. Nous avons failli mourir ? Nous réalisons soudain que nous voulons vivre vraiment. Certains ne se posent de questions qu'à cette occasion et font le bilan : est-ce que j'ai vécu, qu'est-ce que j'ai envie de vivre maintenant ? Beaucoup traversent leur existence sans grande implication, se contentant d'une logique fataliste, truffée de lieux communs tels que : « Ah, c'est l'âge », « On verra plus tard », « C'est l'hiver, normal qu'on n'ait pas le moral »... Il n'est pas si fréquent de se demander « Est-ce que ma vie me va ? », « Suis-je heureuse dans mon couple ? ». Ces accidents sont pour quelques-uns une occasion de se mettre au centre de leur vie, de décider de l'occuper pleinement, alors qu'ils se tenaient prudemment à sa périphérie.

Une chance de remaniement à saisir

Les coups durs peuvent mettre à mal notre ambition, la freiner, la faire bifurquer, mais aussi la révéler. Bien qu'ils bousculent assurément ce que nous entreprenions et ce que nous avions projeté, nous n'allons pas tous y réagir de la même façon. Si nous sommes déjà sur le fil de notre ambition, elle ne sera pas menacée profondément par la crise que nous traversons. La perte sera douloureuse, nous pourrons en être ébranlés, mais nous nous autoriserons sans doute plus que d'autres le chagrin, étape nécessaire pour dépasser l'épreuve. La grande difficulté est souvent de se laisser aller à sa peine, tant nous craignons, en accueillant notre souffrance, de perdre la maîtrise de nous-mêmes. On raconte qu'un maître zen expliquait en conférence l'art de la sérénité, lorsqu'il est interrompu par l'annonce de la mort de sa sœur. Il se met alors à pleurer à chaudes larmes, devant un public interloqué : « Mais enfin, maître, ne prônez-vous pas le détachement ? » « Oui, mais je l'aimais beaucoup », répond-il entre deux sanglots. L'histoire est-elle réelle ou non ? Elle souligne en tout cas qu'être dégagé de certaines tensions ne signifie pas ne plus éprouver d'émotions. À une femme, que son amant venait de quitter et qui se rend en larmes chez Jean Genet, celui-ci dit en la repoussant gentiment : « Profites-en, vis jusqu'au bout ce moment, va pleurer seule chez toi. » Il lui conseillait par là de ne pas gâcher ce moment précieux, en essayant de faire diversion. Au moment de l'épreuve, cette capacité à être en cohérence avec soi, avec sa vie et sa peine, peut ralentir le mouvement vers notre ambition, mais ne va pas tout arrêter. Bien sûr, nous n'avons pas tous la force vitale et les moyens de réagir de cette manière : ceux dont l'ambition est ravalée, ou à peine audible, vont baisser les bras en ruminant que, décidément, le sort s'acharne toujours sur les mêmes. L'événement douloureux rappellera à l'ordre ceux qui doutent encore de leur légitimité. Même s'ils ont semblé s'approcher de leur ambition, ils sont rattrapés par leurs démons et sommés – leur Surmoi s'en charge – d'obéir à nouveau aux impératifs et contraintes de la vie.

D'autres enfin vont se lancer dans de nouveaux projets, réalisant soudain qu'ils ne sont peut-être pas sur le chemin de leur ambition, qu'ils passent à côté de leur vie. Bien décidés à ne plus remettre leur bonheur à demain, ils vont enfin empoigner leur destin. On constate souvent ce regain de force chez des malades qui luttent contre leur cancer avec une énergie incroyable, eux qui, auparavant, n'étaient pas toujours les plus battants. Ce bouillonnement de la vie se niche souvent dans des détails, comme chez cette vieille dame, proche de la mort, qui a fait venir un coiffeur dans sa chambre d'hôpital, refusant de renoncer à sa féminité jusqu'au dernier moment.

L'épreuve du chômage

Bien qu'elles ne soient nullement indispensables, et heureusement, ces épreuves offrent un miroir grossissant à nos questionnements : ce n'est pas dans l'accident de la vie que se joue l'essentiel, mais plutôt dans ce qu'il va brasser en nous. Prenons l'exemple du chômage. Nous avions tracé notre route, cru être « arrivés », nous être peut-être affranchis de notre milieu, et voilà que l'événement nous projette dans une insécurité, ou nous remet à une place dont nous avions eu tant de mal à nous extirper. En perdant notre travail, nous sommes non seulement déclassés dans la société, mais aussi dans la famille, le couple, ce qui explique que certains peuvent faire semblant de partir au bureau pour rassurer leur entourage. Un tel déni, poussé à son paroxysme, peut conduire jusqu'au meurtre, comme dans l'affaire Romand, cet homme qui s'était inventé un poste de médecin et a fini par tuer toute sa famille lorsqu'il a craint d'être découvert. S'étant lui-même enfermé dans le regard de ses proches, il n'a pas eu d'autre recours pour tenter de sauver son image... Pourtant, la perte de l'emploi peut être l'occasion d'un remaniement positif, d'un changement d'orientation, d'un reclassement. À condition de saisir cette occasion, de transformer ce coup dur en opportunité, d'en avoir la possibilité psychique et matérielle. Certaines femmes acceptent mal que leur mari n'ait plus de travail et empêchent leur conjoint de se questionner : est-ce que ce métier était vraiment pour lui, n'était-il pas surtout un faire-valoir ? Ne rassurait-il pas sa femme inquiète ou dépensière ? Le choisirait-il encore, si choix il y a eu ? Si nous sommes dans une mise en scène de notre vie, dans un rôle à tenir, le risque de nous effondrer en perdant notre travail, en divorçant ou en tombant malade est grand. Mais ces événements, en bousculant les règles, en ne rentrant pas dans le décor dessiné par notre imaginaire, nous offrent une occasion de réviser nos positions : est-ce que je me lamente sur mon sort, ou est-ce que je me demande si je veux continuer ce jeu et pourquoi j'en suis là ? Est-ce que je tolère encore des relations qui me minent, ou est-ce que je fais un grand ménage ? Et je peux aussi conforter mon ambition et les choix que j'ai faits jusque-là.

La mort ne règle rien

La mort de nos parents est un moment-clé. Avec elle s'effondre une base rassurante – même si les relations ne sont pas bonnes –, et elle nous fait prendre conscience de notre propre finitude. Parfois, elle va libérer des contraintes, rendre possible notre ambition, mais cela ne concerne pas la majorité, loin de là. Il est même assez sidérant de constater le nombre d'orphelins adultes qui continuent de se raconter une histoire qui les épargne... Du fond de leur tombe, certains géniteurs sont plus présents que jamais ! Ainsi, celui qui a vécu toute sa vie dans la plainte de ne pas avoir été reconnu par ses parents, peut vivre leur mort comme une impossible réparation, le laissant démuni et piégé dans son statut de mal-aimé, loin de la libération escomptée. Faut-il alors s'en expliquer avant leur disparition ? Tout dépend de ce que l'on entend par là. S'il s'agit d'engager un débat pour ressortir des conflits vieux de trente ans dans le but de les faire réagir et d'avoir des réponses, il y a peu de chances que la discussion porte ses fruits. Mieux vaut se parler d'abord à soi, démêler sa relation d'enfant à ce parent, questionner cette attente tenace qui n'a jamais été satisfaite, reconsidérer son histoire et se l'approprier, démarche difficile, mais assurément plus bénéfique. La mort des parents, qui signerait la fin de nos frustrations, porte la même illusion que le divorce chez ceux qui s'ennuient dans leur couple et sont persuadés que sans l'autre, ils feraient des choses extraordinaires. La séparation vient leur apporter la preuve qu'il n'en est rien, car il s'agit de leur propre liberté qu'ils ne parviennent pas à conquérir et assumer. La mort ne règle jamais rien en soi, sauf à transformer l'événement en une occasion de relire son histoire, comme le montre le film *Sur la route de Madison.* À l'occasion du décès de leur mère, les enfants découvrent qu'elle a vécu une passion clandestine, qui ébranle le mythe familial. Cette révélation les pousse à revisiter leur propre vie : la fille quitte son mari avec qui elle n'était pas heureuse, tandis que le garçon retourne vers sa femme, qu'il comprend aimer vraiment. Ce que dit encore cette histoire qui intéresse notre ambition ? Bien qu'elle ait renoncé à cet amour, l'héroïne ne regrette rien. Elle a choisi délibérément de ne pas suivre cet homme et va survivre à ce déchirement les années qui suivront, en accord avec elle-même. À l'inverse, dans *L'homme qui murmurait à l'oreille des chevaux,* les deux protagonistes, follement attirés l'un vers l'autre, se séparent sans tenter quoi que ce soit, ouvrant la porte à tous les regrets et laissant les spectateurs dans une grande frustration ! Mais peut-être craignaient-ils un passage à l'acte décevant ?

Le chagrin d'amour

La perte de l'autre, l'échec, l'injure de la trahison sont autant de sentiments douloureux qui accompagnent le chagrin d'amour. Et ce, que l'on soit quitté ou que l'on quitte, car en cas de désamour, nous aimerions souvent que l'autre prenne en charge la rupture ! Toutefois, ce chagrin est encore une occasion d'être acteur et sujet de sa vie, occasion qui n'est pas saisie si souvent, tant il est plus commode de s'en remettre à l'idée que tous les hommes sont des lâches, et les femmes des garces. Ou encore, que décidément, au bout de trois ou sept ans c'est selon, nous nous ennuyons forcément. Mais répétons-le, y a-t-il vraiment une science de l'amour ? Ne vaut-il pas mieux se demander comment nous aimons, et pourquoi nous avons aimé celui ou celle-ci ?

Le chagrin d'amour met à l'épreuve l'amour vécu, sans qu'il soit nécessaire de le jeter avec l'eau du bain. Que l'on se soit aimé cinq, quinze ou vingt-cinq ans, la rupture vient souvent remettre en cause tout ce qui a été vécu, comme si la relation n'avait été que mensonge. Mais ce n'est pas parce que nous avons perdu les bagages à l'arrivée que nous n'avons pas fait un bon voyage. Le terme de chagrin d'amour est d'ailleurs préférable à celui d'échec amoureux. Est-ce que ne plus s'aimer, c'est avoir échoué ? Ou alors, prenons-le dans le sens de s'échouer sur un récif, qui est plus poétique. Ne vaut-il pas mieux se demander ce que nous avons réussi ensemble, pour ensuite analyser ce qui n'a pas, ou plus, fonctionné ? Pourquoi sommes-nous restés ensemble ? Peut-être pour se prouver que nous n'avions rien à y faire. Peut-être pour vivre une tranche de vie qui nous ouvrirait à d'autres envies. Pourquoi s'être séparés ? Peut-être qu'il était temps de prétendre à mieux, que nous nous sommes fait assez mal, qu'il est temps de passer à une relation plus vivante. Une fois encore, cette idée d'un amour véritable nous empêche d'y voir clair et d'admettre la mobilité des sentiments. Ce mythe – devenu injonction de notre Surmoi – conduit même certains à rester ensemble contre vents et marées : sachant que désormais, la longévité ne va plus de soi, ils mettent un point d'honneur à réussir là où les autres échouent. Si la séparation intervient quand même, elle est vécue comme une blessure narcissique, forcément cruelle. Le couple avait bâti une construction idéale, et l'image s'effondre. Pourtant, la rupture est une occasion de réviser et questionner nos ambitions : nous n'avons peut-être pas fait mieux que les autres, mais pourquoi avons-nous vécu cette histoire ? Pour nous, parce qu'elle nous était nécessaire et qu'elle fut aussi agréable ? Pour satisfaire un ordre inconscient à être comme il faut être, en sacrifiant nos envies réelles ?

Une occasion d'aimer à notre façon

Apprendre à aimer d'une façon qui n'est que la nôtre, qui n'a rien à voir avec ce que font, disent, pensent les autres, n'est pas si simple. Voyez ce qui se passe lors d'une rupture, où les donneurs de conseils ne manquent pas. Pour ne pas se tromper soi-même, il va falloir louvoyer entre les messages tonitruants que nous envoie l'entourage : « Tu es sûr de ne pas être trop exigeant ? Et qu'est-ce que tu vas faire après ? Es-tu certain de ton choix ? » Non, en amour, nous ne serons jamais sûrs de rien, mais nous pouvons espérer être à peu près en phase avec ce qui nous agite, ce que nous ne voulons plus vivre. Malheureusement, nous nous comportons souvent comme de bons élèves qui essaient de suivre la formule qui marche. Notre époque est fascinée par la question de l'amour, il n'est pas sûr que nos parents et grands-parents en parlaient autant, qu'ils en attendaient tant, qu'ils se posaient autant de questions sur la vie à deux. Mais n'est-ce pas un luxe formidable d'être exigeant, d'aspirer à une relation de qualité, d'en avoir la possibilité ? Nous nous quittons parce que nous ne nous aimons plus, ou pas assez, une exigence souvent qualifiée de capricieuse ou de tyrannique. Les plus anciens, habitués au renoncement, clament : « Mais quand même, comment faisions-nous ? » Les thérapeutes de couple leur emboîtent le pas, se désolant qu'aujourd'hui les couples divorcent pour un oui ou pour un non. Pourtant, cette désinvolture ne se vérifie pas sur le divan. La fin d'un amour est toujours une déflagration, jamais vécue de façon légère et insouciante. La grande majorité aurait préféré que leur couple dure, mais pas à n'importe quel prix. C'est cette liberté-là que nous avons gagnée, et elle n'est pas si facile à assumer…

Et moi, dans cette histoire ?

Peu de couples au bord de la rupture sont capables de considérer que chacun a sa part de responsabilité dans l'échec, tant il est plus facile d'accuser l'autre que de se remettre en question. Même quand l'un dit qu'il a toujours le chic pour tomber sur des minables, c'est encore l'autre qu'il accuse, en feignant l'implication ! En vouloir à notre partenaire nous épargne et nous rassure – puisque c'est sa faute – mais ne nous fait guère avancer. D'autant que ces accusations méritent toujours d'être examinées : est-ce vraiment à cause de lui, ou l'ai-je choisi pour éviter de me confronter à mes désirs ? C'est en acceptant de reconnaître notre implication dans l'élaboration et la fin de l'amour que nous pourrons nous réconcilier avec cette histoire, reconnaître ce qu'on a été y chercher, profiter de l'expérience qu'elle nous a apportée et qui fera partie de nous, nos histoires d'amour nous accompagnant tout au long de la vie.

Certaines ruptures nous apprennent à aimer autrement, peut-être même qu'elles autorisent notre ambition d'avoir à l'avenir une relation de meilleure qualité, qu'elles nous ouvrent les possibilités de la vivre. Ce sont parfois des événements apparemment anodins qui déclenchent des changements radicaux. Le film italien *Pain, tulipes et comédie* démarre sur l'histoire d'une femme un peu gourde, qui est oubliée sur une aire d'autoroute lors d'un voyage organisé. Cet oubli opère un déclic en elle : elle se rend compte qu'elle n'existe pas, que son mari la traite comme une petite fille.

Prise en stop par un conducteur qui se rend à Venise, elle décide de découvrir cette ville qu'elle ne connaît pas. Cette escapade va être le point de départ d'une nouvelle vie bien plus palpitante… Un événement, une rencontre, une rupture peuvent remettre la vie en mouvement, à condition de s'impliquer et d'en saisir l'opportunité.

Le couple face à l'épreuve

Les épisodes négatifs de la vie ébranlent les couples et servent souvent de révélateur impitoyable de la relation, ou de ses limites. À la suite de la perte d'un enfant, certains vont préférer se séparer, ayant trop souffert ensemble : s'ils veulent espérer vivre encore de manière un peu légère, ils ne peuvent le faire que chacun de son côté. Ils s'aiment encore, mais cet amour-là est trop douloureux. D'autres choisissent de s'enfermer dans le silence, de recouvrir leur chagrin sous un épais tapis de non-dits. Quand les personnes ne font rien des épreuves qui les touchent, qu'elles ne les explorent pas ou ne s'en emparent pas, c'est souvent assez dramatique. Il est intéressant d'essayer de comprendre pourquoi l'autre réagit de telle façon, et déjà de remarquer qu'il y répond ou se protège d'une façon qui lui est personnelle. Ceci interroge notre capacité à tolérer, ou pas, que l'autre ait son propre fonctionnement, sa logique inconsciente. Les épreuves sont aussi des occasions de redécouvrir nos différences, de rétablir une relation d'altérité, de se rappeler à l'autre, qui n'est pas comme moi, et dont je ne peux exiger qu'il réagisse comme je le voudrais ou le ferais, une même attitude ne prouvant d'ailleurs en rien que nous sommes si unis. Quand décalage il y a, beaucoup le vivent comme un abandon, à l'instar de ces femmes qui exigent que leur mari assiste à leur accouchement, au mépris de ce qu'il ressent et de ce qu'il peut ou pas assumer. Les coups durs de la vie sont des caps difficiles à passer dans une relation amoureuse : comment composer avec l'autre, sans exiger de lui qu'il soit là quand et où j'en ai besoin ? Où je suis persuadé qu'il doit être ? Si nous acceptons de reconnaître cette différence, nous arriverons tôt ou tard à nous rejoindre, alors que si nous restons cantonnés dans le reproche, nous ne pourrons pas retrouver le fil du désir qui traverse toute relation vivante.

Accident ou répétition ?

Certaines femmes ne rencontrent que les hommes qui leur confirment qu'ils sont tous des salauds, ce qui pointe la différence entre l'accident de vie et la répétition. Nous pouvons connaître dans notre existence une ou plusieurs ruptures difficiles, ou revivre sans cesse, quoi que l'on fasse pour l'éviter, le même type de séparation. Dans le premier cas, elle peut déboucher sur une remise en question de soi, de l'autre, de la relation, tandis que dans le second, elle ne fait que nous conforter inconsciemment : décidément, nous ne méritions pas mieux, les femmes sont toutes infidèles... Même un dénouement dramatique ne vient pas entamer ces idées toutes faites : de l'extérieur, la rupture semble avoir tout bouleversé, mais au fond, elle n'a rien fait bouger. Peut-être que la énième séparation amorcera un début de remise en question ? C'est souvent à la suite d'un nouvel échec que beaucoup poussent la porte d'un thérapeute. Non, nous ne pouvons plus repasser par les mêmes états, craignant de ne plus avoir les ressources suffisantes pour y faire face. Toutefois, si la rupture amoureuse est une porte d'entrée fréquente dans l'analyse, la motivation relève toujours d'un : « Il faut que cela change, je ne peux plus continuer ainsi, je ne peux plus faire comme si ! » Sans cette impérieuse nécessité, il est difficile d'entamer une analyse, il y a tellement de raisons d'occuper son temps et son argent autrement... Le déclencheur, souvent inconscient, peut se révéler au fil de l'analyse. Dans une scène du film *Paris* de Cédric Klapisch, Fabrice Luchini joue le rôle d'un professeur de fac qui ne va pas bien. Bien qu'il n'y croie guère, il se résout quand même à aller voir un psychanalyste. Lors de la première séance, ce dernier lui demande si un événement particulier a déclenché son besoin de consulter. Luchini ne voit pas, mais après un long moment de réflexion, il se souvient : « Ah oui, j'ai perdu mon père ! », provoquant un éclat de rire mal étouffé de l'analyste. Un chagrin non exprimé, une rupture plus blessante qu'il n'y paraissait reviennent fréquemment au cours des séances, sans avoir été consciemment le motif déclencheur. Mais faut-il toujours faire une psychanalyse pour se débarrasser de ses vieux démons ? Évidemment non, nous allons y revenir. Certains sauront d'instinct les contourner, d'autres s'en accommoderont, d'autres encore auront la capacité de s'emparer d'événements quelquefois traumatiques, de les transformer en une nouvelle force propice à un autre départ. Peut-être à l'écoute, enfin, de cette ambition intime qui leur va si bien…

L'ambition limitée

Enfin, il arrive que le réel vienne buter contre notre désir : c'est le chanteur qui n'a pas de voix, le sportif rattrapé par l'âge ou fauché par une blessure… Que devient la belle ambition quand elle est stoppée net en vol ? À partir du moment où nous sommes dans une énergie désirante, celle-ci est mobile, souple, s'adapte, se transforme. Dans ce cas-là, nous avons les ressources pour rebondir, nous remettre des échecs et des limites. À l'inverse, ceux qui ne sont que dans l'ambition volontaire voient souvent leur édifice s'écrouler car il ne repose que sur l'idée qu'ils se font d'eux-mêmes, ou sur une conformité au désir des autres. Prenons l'exemple du joueur de tennis Yannick Noah qui s'était fixé comme objectif de gagner Roland-Garros : une fois cette ambition atteinte, il s'est dirigé vers une autre de ses passions, la musique, et poursuit avec succès une carrière de chanteur, tout en s'occupant d'organisations humanitaires, son autre fer de lance. À l'opposé, on rencontre des jeunes coachés par leur famille pour faire briller le nom de la lignée et qui s'écroulent au moindre échec. Pour rester dans le domaine du tennis, le courage de Marion Bartoli fera sans doute date. Alors qu'elle est portée au pinacle par le pays, elle décide de s'arrêter parce que la compétition lui est devenue insupportable. Les efforts exigés pour se maintenir au premier rang malmènent trop son corps. Voilà une belle ambitieuse qui tient ferme la barre de sa vie ! Celui qui vit son ambition au-delà de l'image qu'il renvoie va aménager sa reconversion, en devenant entraîneur, manager, en ouvrant une boutique de sport... Bien sûr, il en passera par un temps de déception, de souffrance, inévitable, et plus ou moins long selon les individus et les opportunités qui se présenteront. Mais l'échec ne le mettra pas à terre. Nous passons notre vie à mourir à nos rêves pour en faire revivre d'autres.

Troisième partie

À LA RECHERCHE DE SON AMBITION

POURSUIVRE SON AMBITION

> « Impose ta chance
> Serre ton bonheur et va vers ton risque
> À te regarder, ils s'habitueront. »
>
> René Char

Écouter sa voix qui dit « non »

Bien souvent, nous allons commencer par identifier ce que nous ne voulons pas, ou plus, avant de savoir ce que nous voulons. L'aiguillon de notre ambition se niche d'abord au cœur de ce GPS très précieux, plus utile parfois qu'un « je veux » péremptoire, qui peut nous fermer des voies inattendues. En effet, si je veux être « Scorsese ou rien », gageons que ce sera « rien ».

Actuellement, la valorisation de la pensée positive rend difficile l'écoute de nos « non », qui peuvent pourtant être d'une énergie incroyable. D'ailleurs, n'est-ce pas le premier mot que nous avons prononcé enfant, bien avant le « oui » ? Le « non » est notre premier mot de sujet, celui qui affirme notre singularité à la face du monde. Quand l'enfant refuse de manger sa soupe ou de mettre sa salopette bleue, c'est l'espace de sa future liberté qu'il commence à créer. Pourtant, ce petit mot de refus est sans doute celui que nous avons le plus de mal à prononcer par la suite… L'enfant, lui, a du désir, et l'ambition de ce désir, il sait ce qu'il veut dans la vie : jouer plutôt que travailler, manger du chocolat plutôt que des haricots verts, ce sera à ses parents de l'accompagner, de l'éclairer, de le limiter, tout en lui laissant des choix. Des études montrent que lorsqu'on leur donne une certaine latitude, les enfants ne détestent pas forcément les carottes râpées, sauf si l'entourage leur serine sans cesse : « C'est bon pour la santé ! », transformant un plaisir en obligation. Et vous, que disaient vos parents quand vous refusiez de manger ou vous habiller ? Tu es vilain, tu fais de la peine à maman ? Mange ta soupe pour faire plaisir à papa ? La façon dont nos oppositions ont été accueillies dans le passé peut influencer l'autorisation que nous nous donnons, ou pas, à ne pas tout accepter pour « faire plaisir » aux autres. À quoi, dans ma vie, serait-il bon de dire « non » pour suivre mon ambition ? C'est intéressant de prendre le temps d'y réfléchir. Certes, si personne ne nous demandait jamais rien, ce serait terrible, mais il faut distinguer ces attentes logiques de cette demande imaginaire, assurément plus tyrannique, qui nous assignerait à nous comporter d'une façon supposée bonne, fantasme auquel nous tentons de répondre en vain... À ces injonctions supposées, implicites, imaginées, nous n'envisageons pas qu'il soit en notre pouvoir de dire « non ». C'est ainsi qu'en France, de nombreux cadres restent jusqu'à 20 heures au bureau, convaincus que partir plus tôt serait mal vu par leur hiérarchie. Dans certains cas, cela s'avère exact, mais pas toujours. D'ailleurs, dans les pays nordiques, quitter son travail après l'heure officielle de fermeture des bureaux signifie, non que vous êtes valeureux, mais inorganisés ! N'y a-t-il aucune marge de manœuvre pour travailler selon votre propre fonctionnement ? Certains sont performants le matin, moins bons en fin de journée, tandis que d'autres à l'inverse ne font rien de bien avant 10 heures. Ces variables ne peuvent-elles jamais être discutées, subtilement imposées ? Encore faudrait-il reconnaître nos différences, les assumer et œuvrer pour les faire accepter, au lieu de rester prisonnier de l'image que nous supposons que les autres ont de nous. Quand nous sommes sûrs de faire mieux notre travail d'une certaine façon, nous pouvons nous montrer très convaincants, à l'instar de ce salarié qui a négocié des horaires décalés, sans mettre en danger sa productivité, bien au contraire. Ses collègues, jaloux de son culot, l'accusèrent d'avoir fayoté avec la direction, mais il a tenu bon et a désormais la vie qui lui va. Quant à Glenn Gould, il a pris un risque énorme en terme de carrière, en décidant de ne plus donner de concert en public, estimant qu'on ne peut pas voir et écouter en même temps. Il a échappé à toute injonction, toute évidence, qui intime à un pianiste mondialement connu, célébré, de faire de la scène pour vendre ses disques. Il a cessé de se produire en public, parce que cette façon de jouer ne lui convenait plus.

Ouvrir des brèches

Même si les temps sont difficiles, il n'est pas question de le nier, il existe toujours une brèche à ouvrir pour exister comme sujet. Bien souvent, nous sommes persuadés d'être coincés dans une situation à laquelle nous ne pouvons rien changer. Est-ce si sûr ? N'y a-t-il aucun espace sur lequel intervenir pour imposer ma façon de faire ? Si je conserve mon poste, je vais regarder tous les endroits où je peux avoir mon mot à dire, bouger les lignes, arriver à imposer mon désir, même de façon apparemment anecdotique. Martin Hirsch raconte dans son livre, *La Lettre perdue*, ces résistances dérisoires, mais primordiales. Lorsque Nicolas Sarkozy, alors ministre de l'Intérieur, a voulu faire une loi pour « cadrer » la mendicité, l'abbé Pierre, qui voulait profiter de son anniversaire pour battre le rappel contre la pauvreté, a encouragé Martin Hirsch à monter au créneau. Ce sera son fameux discours : « Monsieur le ministre, faites la guerre à la pauvreté, pas aux pauvres. » Le jour où Martin Hirsch, avec d'autres, est convoqué Place Beauvau, Nicolas Sarkozy les accueille dans son bureau, où se trouvait son labrador. Quelle mouche l'a piqué ? se demande encore Martin Hirsch. Toujours est-il qu'il a demandé au ministre de faire sortir son chien, sous le faux prétexte qu'il en avait peur. Nicolas Sarkozy bougonna, puis finit par obtempérer. Par cette exigence, il signala au ministre que si celui-ci était au pouvoir, Martin Hirsch n'était pas sous la coupe de ce pouvoir. Anecdotique ? Pas seulement. L'exemple montre qu'il existe toujours un espace, si minime soit-il, pour faire entendre sa propre voix. « Je me suis demandé dans quelle mesure mon comportement avait un rapport avec la relation au pouvoir qui m'avait été léguée. J'ai appris, depuis toujours, que l'engagement ne veut pas dire soumission à une quelconque autorité. C'est plutôt l'apprentissage d'une certaine distance vis-à-vis du pouvoir. [...] Aux hautes fonctions, on devait plus la politesse que le respect, à condition que celle-ci n'interdise pas l'impertinence », écrit Martin Hirsch. La sienne lui venait-elle de son grand-père ? Commissaire au plan sous de Gaulle, il était le seul avec Antoine Pinay à l'appeler « monsieur le président », au grand dam du « Général » ! Et chaque fois qu'il y repensait, le courroux de De Gaulle le ravissait...

Dépasser la culpabilité

Il est tentant et facile de se vautrer dans une fausse culpabilité, en marmonnant des « je sais, je sais, je suis faible, je me laisse faire », position d'aveu, et surtout de protection, plutôt commode. En effet, peut-être n'avez-vous pas su ou pu faire autrement à un moment donné, sauf que cette attitude de repli ne permet pas de bouger grand-chose dans sa vie. Ne vaut-il pas mieux essayer de dépasser ce stade ? N'est-il pas temps de se demander pourquoi tant d'échecs ?

À moins de tout mettre sur le dos de l'époque, autre tactique qui évite d'affronter le problème. À propos des différentes contraintes que nous nous imposons, des demandes auxquelles nous nous efforçons de répondre, posons-nous toujours la question : ai-je peur de ne plus être aimé si je n'accours pas là où l'on m'attend ? Aurais-je l'audace de m'écouter, au risque de me retrouver isolé ? Dire non à ce qui ne nous convient pas n'est pas toujours bien vu par l'entourage, mais quelle liberté ce petit mot nous donne ! Notez que ceux qui disent d'un air contrit « je ne sais pas dire non » s'en flattent souvent en secret, comme si cette incapacité était une preuve de générosité, alors qu'elle signe plutôt une incapacité à résister à la demande des autres, une peur de s'affirmer. Répondre à cette demande leur donne un semblant de consistance, le sentiment d'être utile, indispensable, même si au passage ils passent à côté de leur vie... Le prix à payer n'est-il pas trop élevé ? Et la récompense assurément décevante. Pour entendre notre ambition, il y aura un espace à ouvrir en nous, d'où jaillira notre désir, notre appétit de vivre. Un vide qui nous panique tellement que nous préférons le remplir en répondant aux demandes extérieures, qu'elles soient réelles ou fantasmées.

Commencer par faire le ménage

Nous avons un sérieux ménage à faire dans toutes les croyances, ordres, codes plus ou moins rigides auxquels nous avons été soumis, sans compter les diktats imposés par la société. Pour entendre la voix de notre ambition, celle qui ne regarde que nous, il va falloir faire taire ces voix dominantes qui nous dictent ce qui est bien ou mal, ou comment nous y prendre pour conduire nos vies. Certes, elles ont pu nous aider à nous construire, mais nous servent-elles de balises pour avancer dans la vie ou sont-elles des ordres dont nous n'osons nous affranchir ? Les « non » spontanés et précieux de notre enfance sont à cajoler, à préserver, même s'il ne s'agit pas de dire non à tout, comme le font les adolescents, dont les oppositions systématiques sont rarement tout à fait libres. En effet, à cet âge, nous nous opposons à tout, nous débattant à la façon d'une mouche enfermée dans un bocal, et il faudra encore un peu de temps pour que ces refus catégoriques et sans discernement nous permettent de faire le tri entre nos propres désirs, et ceux que nos parents ou d'autres autorités nous ont imposés. Certains « non » adolescents ont cependant toute leur valeur, comme cette collégienne qui affirme avec vigueur au retour d'un stage :

je ne veux pas travailler dans une entreprise. Ce qu'elle avait aperçu de la vie de bureau, les collègues, les horaires, elle n'en voulait vraiment pas. À reconquérir ces « non » salvateurs, qui dessinent en creux nos désirs, nous apprenons aussi à dire oui. Et à creuser la voie vers notre ambition.

Oser le questionnement

Il ne s'agit pas de tout envoyer valser, mais de commencer à se poser des questions salutaires. En envisageant juste qu'il serait possible de quitter ce poste, en nous demandant pourquoi nous avons si peur de seulement y penser, nous ouvrons un espace, nous approchant de l'idée d'une autre vie possible. Une telle attitude permet d'échapper à la fatalité, à la rengaine stérile « de toute façon, je n'ai pas le choix », que nous avons dénoncée plus haut. Ainsi, nous ne saurons si notre vie de couple nous convient qu'en nous tenant toujours au bord de la possibilité d'une rupture. Naturellement, il ne s'agit pas de nous demander chaque matin si nous allons nous quitter, mais en laissant cette possibilité ouverte, au cas où la relation ne nous conviendrait plus, nous conservons cette précieuse liberté qui rend le couple vivant, qui nous permet de nous choisir encore. D'où l'importance, toujours, de garder une indépendance financière pour que le choix de s'en aller ou pas reste envisageable. Ce n'est peut-être pas la panacée en ce moment, vous n'avez peut-être pas le choix de quitter un travail, une relation, mais vous acceptez l'idée que vous n'êtes pas là où vous aimeriez être. Et même si vous gardez votre poste pour l'instant, que vous ne divorcez pas le mois suivant, ce pas de côté va vous permettre de ne pas vivre la situation de la même manière, parce que vous n'aurez plus l'impression de la subir. Certains se défendent de penser : « Je ne vais pas commencer à me poser des questions, puisque je n'ai pas de réponses ! » Mais si, c'est justement en acceptant d'ouvrir une brèche que des solutions peuvent émerger. D'autres se montrent superstitieux : si le mot est dit, ils craignent d'avoir déjà engagé l'action, comme si en parler allait faire advenir ce qu'ils redoutent, alors que s'autoriser la plainte leur aurait permis de vider leur sac, et peut-être d'appréhender le véritable problème, pour aller mieux ensuite. En analyse, nombreux sont ceux qui disent des horreurs sur leur partenaire pour, la semaine suivante, passer leur séance à dire combien ils l'aiment. Parler sur ce qui dans l'instant nous préoccupe, nous intéresse, fait toujours du bien, nous ne dirons jamais assez le bénéfice de la parole pour avancer sur le chemin de notre ambition. C'est en ce sens que le bilan de compétences s'avère parfois intéressant, quand il sert à identifier des résistances, à démêler ses envies, à dégager des pistes pour les mettre en acte, bref, à mettre en harmonie notre message et les codes nécessaires à sa réalisation. Il ne s'agit pas d'un travail analytique, ce n'est pas son objectif, même si certains formateurs jouent aux thérapeutes, mais d'un outil dont il faut savoir se servir, en reconnaissant ses limites. Il arrive qu'il débouche d'ailleurs sur une thérapie, parce que des questions soulevées seront restées sans réponse. Pour ceux qui ont déjà fait un certain cheminement, le bilan va être utile pour affiner leur orientation, débroussailler le terrain, lever les ambivalences, sans jamais leur donner ces fameuses certitudes après lesquelles nous courons en vain. Si nous attendons d'un bilan qu'il nous dise ce qu'il faut faire, comment le faire, nous passerons à côté de notre véritable désir, et de notre façon de le mettre en œuvre.

Même les tests peuvent être utiles parfois, en nous proposant un code rassurant, une approche légère. Les profils définis sont souvent frappés au coin du bon sens, ne révèlent rien de rare, mais peuvent nous amener à nous interroger et nous montrer que la vie déjoue souvent nos certitudes, en témoignent les tests proposés par les sites de rencontres pour nous aider à trouver la perle rare.

Au final, que découvrons-nous bien souvent ? Que celui qui nous convenait point par point se révèle terriblement ennuyeux, tandis que tel autre, qui ne correspondait en rien à la description de notre idéal, nous intéresse beaucoup... Toute rencontre bouscule et nous empêche de tourner en rond.

Accepter de se mettre en jachère

Pour que notre ambition puisse pointer son nez, il nous faudra nous éloigner des sentiers tracés, nous mettre en jachère, vacance qui va permettre de laisser émerger de nouvelles envies, ou de confirmer les anciennes. Là où la névrose nous plombe, nous allons essayer de nous délester. Le travail d'analyse conduit à cette perte de consistance, qui peut être inconfortable, car nous n'allons pas opposer à ce vide nécessaire d'autres certitudes, à moins d'avoir consulté un maître de vie. Nous allons nous laisser flotter dans un « je ne sais pas encore », des « peut-être », des « pourquoi pas », que notre époque de coaching a tant de mal à supporter, nous exhortant sans cesse à légitimer notre ambition, à brandir notre projet de vie clé en main. Les personnes qui viennent en analyse ont souvent le projet de progresser – selon une conception calibrée de ladite « progression » – mais elles sont là justement pour se débarrasser de cette idée, elles viennent pour se remettre en mouvement, animées de leur désir et de leur ambition. Le but ne sera pas l'essentiel, et même si la progression vers une certaine libération est de la partie, elle ne peut être cernée par un point de départ et d'arrivée. De nombreux analysants constatent au bout de quelques séances qu'ils ne savent plus rien sur eux, alors qu'ils étaient venus pour découvrir qui ils étaient, ce qu'il fallait qu'ils fassent pour être mieux. Et puis, tout doucement, ils constatent qu'un mouvement s'opère en eux, sans savoir où exactement. Leur édifice se fissure, mais ils sentent qu'il est important d'en passer par là. Ce soi intangible qu'ils ont essayé d'édifier à tout prix n'est plus aussi immuable. En avançant sur le chemin de notre ambition, nous allons le voir s'évanouir, la névrose étant notre seule base vraiment solide.

Laisser choir l'anticipation

Rien de plus insidieux, de plus fallacieux que l'anticipation : aucune préparation ne nous mettra à l'abri des aléas de la vie. Nous aurons beau imaginer ce qui se passerait si nous perdions notre travail, cela ne nous protégera pas d'un licenciement, et pourrait même le favoriser en nous rendant inapte au poste occupé. Se préparer à la mort d'un parent est tout aussi inutile, car nous ne savons pas comment nous réagirons avant d'y être confrontés. Même si nous avons déjà traversé des deuils, chaque perte sera singulière, aura des répercussions différentes. Se prémunir d'être quitté est encore un leurre : dix chagrins d'amour ne protégeront jamais du onzième, qui peut se révéler encore plus ravageur ! Certains vivent leur vie en prenant soin d'avoir toujours un plan B dans leur manche : un autre amoureux au cas où le premier ferait défaut, d'autres études en cas d'échec. Pourtant, il est des aventures qui nécessitent un engagement sans retenue. Le jeune qui prépare le concours d'entrée au conservatoire en se disant qu'il pourra toujours faire géographie s'il n'est pas pris diminue fortement ses chances de succès, une telle précaution risquant de le démobiliser au moment où il doit y croire absolument pour réussir. Nous ne pouvons pas vivre en projetant sans cesse le pire, au risque de ne pas avancer, de nous gâcher le moment présent, ce qui ne nous prémunira pas pour autant des dangers éventuels. La seule anticipation qui vaille ? Nous préparer joyeusement à ce que rien ne soit jamais définitif !

Toute projection est inutile car notre ambition peut se révéler à côté de nos prévisions, ce n'est qu'en l'entreprenant que nous nous en rendrons compte, comme nous l'évoquions dans le premier chapitre. Notre projet va peut-être changer de forme, d'objectif, et à l'arrivée, nous allons nous apercevoir qu'il ne ressemble guère à l'idée qu'au départ nous en avions. Renonçons à la linéarité pour nous poser sans cesse les seules questions vitales dans tous les domaines de notre vie : est-ce que la situation me convient toujours ? Est-ce que j'y trouve mon compte ? Oui ? Alors, je suis porté par mon ambition.

Revisiter ses principes, ses certitudes

Nous nous montrons souvent péremptoires dans nos choix : la tapisserie sera rose ou verte. Mais ce n'est qu'en enlevant déjà ce qu'il y a sur le mur qu'il n'y aura plus d'hésitation, ce sera le vert, ou peut-être le jaune, que nous n'avions pas envisagé jusque-là. Ce n'est qu'en ouvrant un espace de possibles, que nous allons pouvoir lâcher nos certitudes. Nous sommes tenus par des principes, qui ne tiennent jamais la route à l'épreuve de la mobilité de la vie. Que se passe-t-il dans ce couple qui décide de tout se dire s'il s'en tient à cette règle sans concession ? Il y a de fortes chances pour que l'un des deux pousse le jeu jusqu'à montrer à l'autre que cette transparence relève de la supercherie. Quand la vie ébranle nos certitudes, quelle attitude adoptons-nous : nous drapons-nous dans nos principes ou acceptons-nous de les reconsidérer ? Autre question passionnante : qu'est-ce que je veux, et ne suis pas censé vouloir ? Certains pensent qu'ils « devraient » se battre, monter au créneau, mais dès qu'ils en font un impératif, leur ambition d'être ambitieux devient suspecte, ce « devoir » occultant leur propre façon de fonctionner. Nous sommes sans cesse pollués par des modèles qui nous dictent comment poursuivre notre ambition et nous empêchent de reconnaître notre petite voix singulière. Ainsi, parmi les nombreuses injonctions auxquelles nous sommes soumis, l'ambition de rencontrer l'âme sœur se fait particulièrement entendre. Or, quand l'homme ou la femme soupirent qu'ils « devraient » sortir pour rencontrer quelqu'un alors qu'ils n'en ont aucune envie, il y a peu de chances que la virée soit concluante. Et s'ils s'autorisent alors, et sans culpabilité, à traîner en pyjama devant la télévision, une fois passée cette phase-là, ils vont commencer à se dire qu'ils aimeraient bien voir du monde. Rien ne garantit qu'ils vont tomber sur leur fameuse moitié d'orange ou de pomme, mais ils ont infiniment plus de chances de passer une bonne soirée et, qui sait, d'y faire une rencontre. Notre belle ambition ne réclame qu'une chose : que l'on suive nos envies.

Écouter ses résistances

Si certains « non » sont dynamiques, d'autres sont du côté de la résistance inconsciente : qu'est-ce qui dit non quand je dis non ? Est-ce un non salvateur ou un non d'opposition stérile ? Un « non » qui traduit la peur de m'approcher de mon désir et m'empêche d'entendre un « oui » effrayant ? Bien souvent, quand nous tombons amoureux, nous n'avons qu'une envie, prendre nos jambes à notre cou, tant nous sentons que cette aventure va nous mener vers un rivage inconnu, dans un mouvement où nous perdrons toute maîtrise. Heureusement, le désir de l'autre va nous entraîner, résister à notre résistance, qui souvent finira par céder. Mais nous en serons passés par un incessant ballet entre des « non », « oui », « non, je suis idiote », « oui, pourquoi pas ». Nous allons rarement vers notre désir d'un bon pas, même si nous percevons combien il est joyeux et peut être léger ! La vie relève d'une danse pleine d'hésitations. La résistance nous signale à la fois le mal-être et notre refus d'en accuser réception, c'est pourquoi elle est si précieuse et constitue le matériau sur lequel démarre toute analyse. C'est cet écheveau en apparence contradictoire qu'il va nous falloir démêler. Quand le Ça se manifeste, veut se faire entendre et que le Surmoi lui intime l'ordre de la mettre en veilleuse et de continuer à faire son devoir, notre bateau tangue. À nous de nous demander alors ce qui ne va pas dans notre vie, de repérer ce qui nous empêche de vivre pleinement, ce qui suscite ce malaise diffus. La fatigue, cette fatigue lourde et injustifiée, est souvent un excellent signe qui nous indique que nous ne sommes pas dans notre ambition : nous nous traînons, tout nous demande un effort, mais un effort qui n'a rien de dynamisant. Combien de « burn out » cachent des désirs mis en berne ! Le stress a mauvaise presse aujourd'hui, mais il en existe pourtant un excellent, celui qui nous porte en avant, nous met en tension pour réaliser ce qui nous tient à cœur, état aussi jouissif que productif. Quand Martin Hirsch a rédigé le livre blanc de la pauvreté en quinze jours, ne dormant que deux heures par nuit grâce à des médicaments réservés à l'armée – qu'il avait eu, là encore, le culot d'exiger des autorités compétentes ! – il était dans l'euphorie d'accomplir cette prouesse, de découvrir avec joie qu'il était plus résistant qu'il ne l'imaginait.

Dégager du temps pour son ambition

Le stress s'accompagnerait d'un autre mal de l'époque, le manque de temps, à une période de l'histoire où nous n'en avons jamais eu autant : nous travaillons bien moins que nos grands-parents, nos plages de loisirs ne cessent d'augmenter, de quel temps s'agit-il alors ? Quel est ce temps après lequel nous courons tous ? Demandez à un chômeur comment il vit ses longues journées vides...

Prenons le cas d'une femme qui aimerait chanter, mais se désole d'être déjà débordée par ce qu'elle a à faire. Pourtant, si elle acceptait de poursuivre son désir, le temps se dégagerait assurément. En ayant une activité épanouissante, elle récupérerait une énergie incroyable, même pour celles dites obligatoires, tandis qu'en restant cantonnée dans la plainte, elle n'avance pas, et sa vie lui pèse. Observez la jouissance qui nous habite lorsque nous dînons à dix heures du soir, après avoir bouclé un travail passionnant. Ou vu des amis très chers et laissé filer ce fameux temps... Nous manque-t-il dans ces cas-là ? Jamais. Malgré la force de nos résistances, nous savons intimement quand nous nous approchons de notre désir, notre petite voix intérieure nous assure : je suis là où je vibre. Malheureusement, nous la faisons taire avec cet argument fallacieux du temps. Oui, nous ferons un jour du saxo, de la danse, des voyages, mais en repoussant sans cesse nos envies aux calendes grecques, nous sommes de plus en plus épuisés. Et si notre « manque de fer » diagnostiqué par notre médecin venait aussi d'un « manque de faire » ? À méditer...

Ne pas remettre son désir à demain

Plutôt que d'attendre le fameux bon moment qui ne vient jamais, lançons-nous dans l'action. Le désir n'attend pas, il est impatient. Nous nous vivons comme des sages, à l'écoute de nous-mêmes, de la bonne heure, une intention totalement pervertie, car ce n'est jamais ainsi que la vie s'impose. « Ma tête agit comme un vulgaire couteau de cuisine ; elle s'emploie à découper le réel à l'aide de notions aussi grossières que les "avantages" et les "inconvénients", "l'affectif" et le "rationnel", sans autre résultat que de m'embrouiller davantage. Que de fois ai-je pris des décisions désastreuses pour d'excellentes raisons ! Ou, à l'inverse, les meilleures décisions au mépris du bon sens[1] ! » Le romancier Amin Maalouf résume bien l'impasse de nos cogitations stériles. C'est en étant pris par le flux de l'action, et non dans la réflexion, qui nous place en observateur mesuré, que nous allons avancer sur le chemin de notre ambition. Nombreux sont ceux qui ont des avis tranchés sur tout, passent leur temps à expliquer aux autres combien leur propre existence est formidable, mais ont un tel recul qu'ils ne sont plus du tout dans la vie ! Le comédien et humoriste François-Xavier Demaison a eu un itinéraire de bon élève avant de tout plaquer pour suivre son ambition théâtrale. Il avait mis toute son énergie à suivre sa carrière d'avocat, pour faire plaisir à ses parents, mais est revenu à ses premières amours. Un de ses confrères moins illustres, au parcours similaire, confiait avec beaucoup de sincérité qu'il fallait arrêter de vanter son courage, qu'il avait fait ce choix non parce qu'il était exceptionnel, mais parce qu'il avait senti qu'il était vital pour lui d'écouter enfin son désir. Qu'il ne pouvait plus faire autrement. À nous de saisir nos fenêtres de lucidité, sans les refermer brusquement, au risque que ce refus de s'emparer de ces éclairs nous rende malades ou nous menace de « burn out »...

1. *Les Désorientés*, Grasset, 2012.

Retrouver ses rêves

Il peut être intéressant, pour suivre notre ambition, de nous retourner sur nos rêves d'antan, qui parlent de nous. Que voulions-nous à vingt ans ? Faire de la musique, du théâtre, construire des fusées ? Ces désirs racontent une créativité qui a demandé à un moment à s'exprimer. Repérer son ambition peut en passer encore par le souvenir de lectures ou de films qui nous ont touchés, ou nous touchent encore. Quels étaient les héros de notre enfance ? Quelles sont les personnes qui ont compté pour nous, dont nous admirions le talent, l'audace ? Pourquoi nous ont-elles tant marqué ? Tous ces détails parlent de nous, nous font prendre conscience de ce qui persiste, de la petite cuisine qui nous agite. Aucune envie précise ne se dégage ? Peut-être que notre désir est verrouillé depuis longtemps, et il est bon alors de se rappeler comment nos ambitions balbutiantes ont été accueillies. L'enfant qui affirme « moi, plus tard, je serai chef » traduit une envie de devenir leader, mais qu'a-t-il entendu ? « Pour qui te prends-tu ? » Ou bien « raconte-moi un peu comment tu te verrais en chef »... Ne sera bon leader que celui qui aime l'être et l'assume, sans préjugés. Bien sûr, en se frottant au réel, nos rêves ont évolué, et ce n'est pas parce que nous sommes devenus fleuriste alors que nous rêvions d'être cosmonaute à cinq ans que nous sommes passés à côté de notre ambition. Mais avons-nous conservé cet élan qui nous permet de slalomer entre nos différents rêves, sans nous accrocher désespérément à un seul ? Sur le chemin de notre ambition, il va nous falloir distinguer nos rêves mobiles, dynamiques, qui nous permettent d'avancer, et ceux qui sont des refuges commodes et agissent comme des couvercles sur nos désirs. Oser apprendre à chanter est autrement plus engageant que regarder des clips en boucle en s'imaginant être un artiste. Est-ce que je me contente de rêver ma vie pour ne pas écorner la fiction sur un Moi que je cajole, ou est-ce que je prends le risque de me lancer ?

Oser la démesure

Pour aller vers notre ambition, arrêtons de mettre des bâtons dans les roues de nos désirs, même s'il n'est pas si facile de se laisser aller à projeter leur réalisation. Combien de personnes soupirent : « Ah si je pouvais gagner au Loto ! » alors même qu'elles n'y jouent jamais… Mais répondre à la question : « Qu'en feriez-vous ? »

est souvent bien difficile. Une fois que nous aurons acheté la maison de nos rêves, fait quelques voyages, donné à nos proches – avez-vous remarqué que tout le monde donnerait, sans doute espérant recevoir ? – la question de notre désir n'est absolument pas résolue. D'autres se consolent en se disant qu'ils n'auraient sans doute plus envie de rien, devant une telle abondance, comme si la frustration était nécessaire... Une fois de plus, les enfants font preuve de cette belle énergie qui nous fait souvent défaut. À la question du troisième et dernier vœu, rituel du conte traditionnel, ils répondent : « Pouvoir faire tous les vœux que je veux ! » montrant ainsi qu'ils ne sont pas encore limités. Et si c'était cette audace et cette démesure qu'il nous fallait reconquérir ?

Oser les mots

Comme en analyse, où le travail consiste à dire ce qui nous passe par la tête sans censure pour démêler l'écheveau de nos résistances, notre ambition va devoir à un moment donné en passer par les mots. Ce sont eux qui vont nous permettre de dessiner notre paysage fantasmagorique, qui vont nous aider à disloquer ce magma informe de désirs, en osant se dire

« je ne suis pas bien », en énonçant tout haut « ça suffit comme ça, j'ai envie d'autre chose ». Ce dialogue ne peut se faire avec tout le monde, sauf si nous avons la chance d'avoir près de nous un interlocuteur qui ne nous juge pas, qui nous aide à avancer par ses questions pertinentes, son écoute bienveillante. Avouons que ces personnes sont rares… Toutefois, ne confondons pas ce besoin de mettre en mot notre ambition, avec l'injonction actuelle de tout dire, qui fait des ravages. Être à l'écoute de son désir réclame dans un premier temps une certaine discrétion. Einstein, à qui on demandait comment il était parvenu à de si grandes découvertes, avait avancé des raisons évidentes : le travail, l'obstination, la curiosité, la rigueur, mais avait ajouté : surtout, le secret. Une part de soi ne doit pas être donnée en pâture aux autres, au risque qu'ils viennent brouiller notre message. Elle doit rester secrète, ne serait-ce déjà que pour reconnaître notre petite voix, la peaufiner et enfin l'assumer pour la faire entendre. Lorsque nous nous sentons en passe de remettre des pans de notre vie en question, de passer un cap, nous sommes forts et fragiles à la fois. Ce n'est donc pas le moment de demander des conseils, qui pourraient nous déstabiliser. Aller confier à des parents anxieux qu'on se pose des questions sur son travail ne va pas nous faire progresser dans notre réflexion, pas plus que de confier nos doutes sur notre couple à une amie qui a envie d'envoyer promener le sien sans oser le faire et va s'écrier : « Mais tu es folle ! » À moins que nous l'ayons choisie justement pour nous conforter dans nos résistances... Éprouver le besoin d'en parler trop tôt, de se justifier, traduit un besoin d'être validé dans ses choix, raconte une culpabilité à aller vers son désir. Il faut savoir que la plupart des personnes de notre entourage vont nous donner des conseils ou des mises en garde qui ne parlent que de leurs peurs, de leurs désirs mal assumés. L'essentiel de notre dialogue avec notre ambition se passe d'abord de soi à soi, une intimité nécessaire pour, ensuite, une fois que nous serons plus ou moins au clair avec nos décisions, engagés dans l'action, nous en ouvrir aux autres.

En nous exposant trop vite, trop tôt, nous prenons encore le risque de nous voir assignés à une case, qui va contraindre notre mobilité. Dans le film *Cherchez Hortense,* de Pascal Bonitzer, un fils et son père dînent au restaurant. Le père, incarné par Claude Rich, y a ses habitudes. Quand il se met à draguer ouvertement le serveur, son fils, joué par Jean-Pierre Bacri, s'insurge : « Mais papa, tu es homo ! » Et le père de répondre calmement : « Non, je couche avec des hommes. » Suivre notre ambition en passe par le refus de se laisser mettre dans une catégorie, de laisser les autres nous définir.

LES RISQUES À NE PAS SUIVRE SON AMBITION

« Vous voulez le punir ? Privez-le de danger ! »

Cyrano de Bergerac

Résignation, dépression, aigreur, regret... La liste des conséquences néfastes est infinie quand nous tournons le dos à notre ambition.

Françoise Giroud, pour illustrer les bénéfices de son analyse avec Lacan, disait que cette démarche lui avait permis de marcher les pieds dans ses chaussures. Rien de plus inconfortable effectivement qu'avancer sur le chemin de la vie à côté de soi...

Le risque de la résignation

Le premier stade du renoncement se traduit souvent par une attitude résignée. Au lieu de vivre notre vie, nous la subissons, avec le sentiment de n'avoir aucune prise sur elle. La personne abonnée à la résignation est souvent mal dans son travail, soupire qu'elle n'a pas le choix, même si le secteur dans lequel elle travaille embauche. Sous couvert d'être intègre, loyal, le résigné accepte souvent l'inacceptable, quitte à ruminer dans son coin. Ah, il n'est pas comme tous ses collègues qui partent à dix-huit heures tapantes, en lui laissant les dossiers à finir ! Ah, il ne sait pas faire des sourires à la hiérarchie, lui, pour obtenir de l'avancement ! Qui reconnaît ses efforts ? Personne ! Même s'il ne s'imagine pas acteur de sa vie, il n'est pas forcément passif, dépensant même souvent une énergie folle à démontrer aux autres qu'il est irréprochable, sans aucun écho ni valorisation, aucune reconnaissance ne pouvant, de toute façon, compenser ses efforts démesurés, le poids de ses frustrations. De quoi effectivement baisser les bras... Mais en adoptant cette attitude de bon élève soumis cherchant à plaire au maître, ce sont ses propres désirs qu'il méconnaît, ce qui est bien plus ennuyeux.

Le risque du harcèlement

La résignation est la porte ouverte au harcèlement. En effet, ces personnalités sont la proie de ceux qui jouissent d'avoir les autres sous leur coupe. Il suffira d'un regard noir, d'une remarque acerbe, pour que l'employé s'effondre, tente de se racheter, dans un jeu pervers sans fin, comme le décrit si bien Delphine de Vigan dans son roman *Les Heures souterraines* (Lattès). De temps en temps, lassés d'être malmenés, certains ont un sursaut, se rebiffent, en ont assez de passer à côté de ce qui est important pour eux, mais le soufflet retombe très vite, car au fond d'eux, ils s'interrogent : « Qui suis-je pour oser prétendre dire non à ce qui me déplaît ? » Cette position de passivité justifie toutes les litanies de résignation que nous avons déjà longuement évoquées dans le chapitre sur l'ambition frileuse. Quel dommage, car s'ils acceptaient d'entendre leur petite voix, ils constateraient très vite un changement d'attitude à leur égard. S'ils pouvaient retrouver l'audace de s'écouter, même modestement, de faire comme ils le sentent, au risque de ne pas être aimés par tous, leur situation serait bien plus confortable. Sauf qu'il faudrait qu'ils s'affirment, au risque de s'exposer peut-être à des commentaires désobligeants, à des rejets, ou tout simplement à la surprise de leur interlocuteur. Mais parallèlement, ils y retrouveraient une dignité, la force de se faire respecter, infiniment plus précieuses que cette approbation qu'ils recherchent en vain, malgré leur dos courbé et leur compromission. Hélas, la plupart vont préférer rester « dans le rang » – ce fameux rang imaginaire – sans se rendre compte du mal qu'ils se font à marcher à contre-courant d'eux, de leurs désirs, de leur ambition.

Le risque de l'aigreur

À la résignation succède l'aigreur. Le mal-être est reconnu, reste à chercher des coupables, forcément à l'extérieur de soi. Ces boucs-émissaires, l'aigri n'a pas de mal à les trouver en général : ce sont les autres, c'est l'époque, toujours pourrie. Mais qui sont ces « gens » ? Y aurait-il l'humanité d'un côté, lui de l'autre, à l'image du misanthrope raillé par Molière ?

> « Nommez-le fourbe, infâme, et scélérat maudit,
> Tout le monde en convient, et nul n'y contredit.
> Cependant, sa grimace est, partout, bienvenue,
> On l'accueille, on lui rit ; partout, il s'insinue ;
> Et s'il est, par la brigue, un rang à disputer,

Sur le plus honnête homme, on le voit l'emporter.
Têtebleu, ce me sont de mortelles blessures,
De voir qu'avec le vice on garde des mesures ;
Et, parfois, il me prend des mouvements soudains,
De fuir, dans un désert, l'approche des humains. »

Se sentant exclu du monde, ou du moins d'un « monde » tel qu'il se l'imagine et dont forcément tous les autres font partie, il lui en veut et préfère s'en exclure lui-même. Bien sûr, de nombreuses protestations sont justifiées, voire salvatrices, contre certains mondes ou milieux, certaines conceptions auxquelles nous ne voulons adhérer. Toutefois, ces contestations ne s'adressent pas à un seul et unique monde, mais à ses divers aspects, un monde aux visages multiples, aux diversités impossibles à confondre. Celui qui s'insurge contre le pouvoir de la finance – un univers en soi – n'en conclura pas forcément que le monde est pourri dans son ensemble. L'attitude aigrie est souvent le reflet d'un combat pour intégrer un espace qui n'existe pas, au détriment de ce qui nous tient réellement à cœur. Une autre façon de passer à côté de sa vie…

Le risque de la mélancolie

Le résigné, tout comme l'aigri, sont guettés par la mélancolie, la nostalgie d'une période dorée révolue. Ce sont eux qui soupirent à longueur de journée que décidément « c'était mieux avant », quand bien même ils ont eu une enfance et une jeunesse des plus mornes, regrettant un âge d'or qui n'a jamais existé, une aventure qu'ils n'ont jamais tentée. Certains exaltent un amour embryonnaire de quelques semaines, alibi bien commode pour rester fixés à une passion fantasmée qui les empêche d'avancer vers une autre rencontre, possible celle-là. Car la mélancolie est toujours là pour protéger du présent, pour éviter de s'y affronter. Au fond, de quel passé parlent-ils ? Ces nostalgiques jurent qu'il n'y a plus rien eu d'intéressant en musique depuis les Rolling Stones, même si beaucoup d'entre eux ne les écoutent jamais, pas plus qu'ils n'écoutent les nouveaux groupes, forcément mauvais… Tout en les utilisant, ils crient haro sur les nouvelles technologies, oubliant les services qu'elles nous rendent, les possibilités de créativité, de visibilité et de mobilité qu'elles offrent. Sont-ils obligés de passer leur journée sur l'ordinateur ? Qui les contraint à surfer du soir au matin ? À moins qu'ils n'y trouvent un refuge commode…

Cette illusion passéiste fait fi de bien des libertés gagnées, notamment en termes d'ambition, que l'on soit homme ou femme. Certains mélancoliques gardent la nostalgie de la famille ancestrale, du rituel du repas du dimanche, occultant au passage la violence qui y circulait, la vie sous le regard permanent des uns et des autres, l'absence de choix. Certes, les ancêtres n'étaient pas placés en maison de retraite, mais les jeunes avaient des vies tracées par leurs devoirs, et peu de place laissée à leurs singularités. Qui voudrait vivre aujourd'hui de telles contraintes ? Malheureusement, ces mythes sont ravageurs et justifient que nous ne vivions pas ce que nous avons à vivre, préférant soupirer sur un avant idéalisé. La belle ambition nous renvoie toujours au présent, qui se vit d'autant mieux que nous n'idéalisons pas un passé qui n'est plus et que parfois nous n'avons pas vécu. Ce n'est plus « avant, c'était mieux », mais « avant, c'était bien aussi ». Nous sommes capables de faire le tri entre les pertes – il y en a bien sûr – et les gains, en général tout aussi nombreux. Certaines personnes éprouvées par un drame en veulent parfois à la terre entière, en font un argument pour ne plus vivre, sans doute parce qu'une partie d'elles-mêmes trouve son compte à ce renoncement. D'autres réussissent à transformer leur détresse, à y puiser de la vitalité. « Quelle chance tu as de l'avoir connue » a dit généreusement un ami à Jean-Louis Trintignant, le jour des obsèques de sa fille Marie. Une belle façon de s'appuyer sur le passé, sans le regretter, pour supporter un présent douloureux.

Le risque d'une vie laborieuse

Que risquons-nous encore à bâillonner notre ambition ? Que notre vie s'apparente à un chemin de croix. Dès que nous tournons le dos à notre désir, dès que nous marchons à côté de lui, tout devient laborieux, épuisant. Prenons une tâche que nous avons plaisir à faire : même si elle suppose des contraintes, des heures de travail, elle nous paraît légère parce qu'elle nous motive, et si nous en sommes fatigués, nous récupérerons très vite. À l'inverse, il nous faudra des semaines pour nous remettre d'un travail qui nous pèse. Nous connaissons tous des personnes autour de nous que tout épuise : faire la cuisine, promener les enfants, même aller dîner chez des amis ! Pourtant, ce ne sont pas ces gestes ou ces activités quotidiennes qui les lessivent, mais de vivre une vie qui ne leur correspond pas. D'ailleurs, cet état constitue une véritable alerte, nous signalant que nous ne sommes pas dans notre ambition. Pire, à force de nous renier, de ne jamais nous écouter, nous risquons de tomber en dépression. N'ayant pu s'investir et s'exalter dans l'ambition, cette énergie du désir refoulé se retourne contre nous. Nous endossons alors le rôle de celui qui va mal, se traîne, prenant les conséquences pour les causes : cette fatigue qui, croyons-nous, nous invite à nous reposer, nous signale qu'il est peut-être temps de bouger.

Le risque d'une vie étriquée

Notre époque n'a que le mot « désir » à la bouche, mais il n'est pas sûr qu'elle l'encourage autant qu'elle le clame. Revenons encore sur cette vogue du zen, où une supposée sagesse consisterait à nous contenter de ce que nous avons, sans en vouloir plus, au risque de nous exposer à la frustration. En fait, nous deviendrons enfin sage quand nous n'aurons plus envie de rien ! Une telle interprétation erronée du zen nous encourage à nous contenter de petits plaisirs, à ne viser que ceux qui sont à portée de main. Une exhortation qui, au passage, ne nous empêche nullement d'envier ou d'être agacés par ceux qui osent en vouloir toujours plus et font ce qu'ils veulent avec humour et légèreté. Observons encore le succès phénoménal du livre *Indignez-vous* de Stéphane Hessel : avons-nous vraiment besoin de l'autorisation d'un vieux monsieur de quatre-vingt-quatorze ans, qui était charmant au demeurant, pour nous révolter de certaines évidences ? Le plus suspect est le consensus autour de sa lecture qui, avouons-le, ne nous engage guère. En nous indignant à tout propos, et sur tous les sujets, n'oublions-nous pas au passage que nous contribuons, par nos actes et nos attitudes, à ce monde qui nous révolte tant ? Mais de cette responsabilité-là, qui nous engagerait autrement, nous ne voulons rien savoir…

Le risque de la manipulation

À ne pas écouter notre ambition, nous devenons une proie facile à l'embrigadement. Dans notre appel enfantin à ce que quelqu'un nous indique la voie à suivre, nous ne manquerons pas de tomber sur ces personnes dans la toute-puissance, qui pullulent aujourd'hui, qu'elles s'appellent coach, et même psy, car l'abus de pouvoir menace toujours en psychologie. Le spécialiste est censé avoir le bon diagnostic, que les patients d'ailleurs lui réclament. Mais le mot se révèle dangereux, voire destructeur, quand un seul sens lui est assigné. Prenons le fameux « tu es méchant » que n'importe quel parent un peu énervé a lancé à son rejeton : contrairement à une conception lénifiante et psychologisante, il n'a rien de dramatique, si un peu plus tard, nous l'expliquons par un « j'étais fatigué, je ne le pensais pas »... Cette précision annule son effet potentiellement ravageur, car ce n'est jamais le mot qui tue, mais le contexte dans lequel il est prononcé, et l'absence de possibilité de le nuancer, d'y revenir. Ainsi, certains diagnostics à l'emporte-pièce qui figent la personne dans un statut définitif sont une catastrophe. Suivre notre ambition va nous permettre le discernement vis-à-vis de tous les maîtres à penser : même si nous acceptons leurs conseils sur certains points, nous garderons notre libre-arbitre sur l'ensemble. C'est toute la différence entre s'en remettre à quelqu'un et s'en servir. Lacan aimait à rappeler que le psychanalyste n'est en rien un maître de vie : il le comparait plus volontiers à un plombier qui a débouché les tuyaux, et a été payé pour ce travail.

Le risque de tomber malade

Toute pathologie peut être la manifestation d'une ambition remisée, d'un désir étouffé. Dans *Marius et Jeannette,* film de Robert Guédiguian, une scène entre deux caissières travaillant dans des conditions déplorables l'illustre à merveille. La première, résignée et soumise, apostrophe Jeannette :

— À ouvrir ta grande gueule, tu vas finir par te faire virer !

— Eh bien, au moins, je n'aurai pas l'ulcère ! Je gagne pas assez pour me payer des maladies de riches ! rétorque Jeannette.

Chacun de nous a une façon singulière d'exprimer son malaise, selon des gammes différentes : l'un enchaînera les migraines, l'autre les lumbagos, un troisième encore ne cessera de faire des chutes. Toutefois, gardons-nous de tomber dans le travers d'une psychologisation outrancière. Désormais, tout mal de dos fait ricaner l'entourage, comme s'il pouvait se ramener forcément à un simpliste « hé, hé, tu en as plein le dos »… Sortons de cet ordre binaire suggérant qu'un problème de digestion soit toujours une contrariété qui nous est restée sur l'estomac, la réalité est souvent plus subtile. S'il y a de l'arthrose dans la famille, gageons que nous risquons d'en avoir également, sans en appeler aux difficultés de la vie, à des désirs refoulés. Ces explications abusives font de ces personnes qui souffrent des malades purement imaginaires. Or, même si la tête participe à leur pathologie, elles souffrent de maux bien réels et ont besoin de médicaments adéquats, pas seulement d'une thérapie. Prenons encore ces couples qui ont du mal à avoir des enfants. Voilà l'entourage prêt à dégainer l'argument d'un désir sans doute peu affirmé. Et s'il s'agissait d'une explication physiologique avant tout ? De nombreuses femmes se décident aujourd'hui à faire un enfant après trente-cinq ans, période où la fécondité chute. Attention, cela ne signifie pas que le désir d'enfant n'ait pas besoin d'être questionné face à la difficulté de tomber enceinte. Peut-être qu'effectivement, la future mère ne se sent pas de taille à batailler avec la belle-famille pour la tenir à distance, le père, empêtré dans une relation de soumission à son propre père, ne se risque pas à le devenir à son tour. Peut-être n'est-ce pas le bon moment pour ce couple. Parallèlement, on ne compte plus les bébés nés à une période où leurs parents n'en voulaient pas, estimant leur position trop instable. Mais quand la femme tombe enceinte, le couple est aux anges. Peut-être les bébés imposent-ils leur bon moment pour débarquer sur la terre ?

Gardons-nous encore de stigmatiser les malades du cancer, censés s'être « fabriqué » leur pathologie, à la mesure de leur malheur, les rendant victimes d'une double peine. Nous confondons volontiers l'impact du psychisme sur notre corps et une responsabilité dans la pathologie qui nous atteint. Certes, Macha Béranger est tombée malade après s'être fait virer sans ménagement, licenciement qui l'a littéralement terrassée. Mais qui peut dire qu'elle ne portait pas déjà ce cancer avant cet épisode traumatisant ? Personne. Bien sûr, nous ne nions pas que le corps soit le vecteur de l'inconscient, de l'émotion, que nous n'en aurons jamais fini avec ses manifestations nous rappelant souvent à l'ordre. D'ailleurs, il suffit souvent de commencer à suivre son ambition pour voir notre symptôme disparaître, mais sans toujours pouvoir faire le lien entre les deux de façon catégorique. En analyse, quand un point névrotique se débloque, le corps se déploie, les analysants embellissent de laisser parler leur désir. De même, certaines personnes en surpoids fondent sur le divan, sans suivre aucun régime, alors que leurs kilos en trop ne constituaient pas le déclencheur de leur travail.

Le risque du regret

Quel terrible poison que le regret ! Certes, nous ne sommes pas en accord avec toutes nos décisions, nos revirements, nous avons sans doute fait des erreurs dont nous aurions pu nous passer, mais le pire dans la vie n'est-il pas de n'avoir rien – ou tout – à regretter ? D'être en proie à la tristesse de n'avoir rien tenté ? En nous étant fourvoyés, nous avons conscience aujourd'hui que nous aurions pu éviter certaines décisions ou difficultés, mais au fond, ces échecs ne nous entravent pas vraiment. L'ambition dont nous parlons saisit les opportunités, au risque de se tromper. En revanche, ceux qui passent à côté restent souvent fixés sur cet embranchement loupé, ou espéré, organisant toute leur vie présente autour d'une occasion jadis manquée. Les soupirs s'épaississent, deviennent complaisants, pas toujours aussi sincères qu'il n'y paraît... De quelles erreurs parlent-ils ? Se seraient-ils trompés de vie ? Avaient-ils les moyens de faire différemment à l'époque ? Sans doute pas. Nietzche se demandait si, ayant le choix, nous revivrions la même vie. Probablement, si nous sommes restés dans notre ambition, quitte à faire les mêmes erreurs. Nous serons alors réconciliés avec nos essais, peut-être même nos loupés, qui sont du côté de la vie tandis que l'immobilité est du côté de la mort. Bien souvent, une cohérence se dégage de notre parcours – qui en fait sa logique après coup – et si nous ne l'organisons pas sur les regrets, tout reste à vivre et à tenter. Arrêtons-nous un moment sur le pardon, qui jouit d'une aura particulière : mais ne vaut-il pas mieux peut-être un : « Cela m'ennuie de te faire de la peine » qu'un « Je te demande pardon » ? L'infidélité révélée pose souvent la question du pardon, mais celui qui se demande s'il va l'accorder s'exclut de l'aventure, il évite de s'interroger sur son éventuelle implication. Ne serait-il pas préférable d'envisager comment rebondir ensemble derrière un tel épisode ? Mais en s'en tenant à la logique du pardon, l'un, le coupable, reste redevable éternellement, tandis que l'autre, en gardant sa position de victime pleine de miséricorde, garde la main. Or il est toujours plus intéressant d'assumer ce que nous faisons, même si c'est plus compliqué, que de nous vautrer dans la culpabilité, ou dans la sûreté d'être dans son bon droit. Des rôles qui, si on s'y tient, organiseront et épuiseront notre couple.

Qu'est-ce que je risque à me risquer ?

S'il y avait une attitude à encourager, ce serait de faire ce qui nous plaît, de nous approcher de ce qui nous tente, pour ne pas avoir à regretter un jour de ne pas l'avoir fait. En amour, si j'attends d'être avec celui avec lequel je vais fonder une famille, je ne rencontrerai personne. J'aime la façon dont ce garçon m'embrasse ? Je vais terriblement regretter de ne pas passer la nuit avec lui ? En allant au bout de mon désir, peut-être que dans dix ans nous serons encore ensemble, peut-être pas. Pour autant, nous ne sommes pas tous des aventuriers, chacun a ses limites, ses envies particulières, ses réticences plus ou moins grandes, la seule question qui vaille étant : « Est-ce que je me sens bien ? » Il suffit souvent de s'approcher de ce qui nous faisait tant envie pour que le fantasme s'écroule, à l'instar de ces robes, que nous trouvons très jolies sur cintres, mais dont le charme s'évapore une fois que nous les portons. S'approcher à tâtons de notre désir nous libère toujours d'un poids, mais il va falloir prendre le risque de mourir à une idée de soi, nous n'avons pas fini de le marteler ! Ainsi, le temps passant, le réalisateur Michael Haneke a appris à se servir de ce que lui proposaient ses comédiens, ses techniciens pour faire évoluer son projet, alors qu'à ses débuts, il ne déviait pas d'un iota du projet initial qu'il avait en tête. Aujourd'hui, ses tournages sont plus sereins et ses films n'ont rien perdu en qualité, bien au contraire.

Cette impression que se risquer à suivre notre ambition pourrait nous anéantir en cas d'échec est le piège de ce Moi idéalisé évoqué plus haut, qui nous empêche d'avancer. Pourtant le danger n'est pas de tenter, l'essai est toujours intéressant et productif, sans toutefois tomber dans l'affirmation de « ce qui ne tue pas nous rend plus forts », où la souffrance serait nécessaire pour progresser dans la vie. Nietzsche a d'ailleurs été récupéré sur ce versant moralisateur et chrétien. Contrairement à ce que ses mauvais lecteurs lui font dire, le philosophe parle surtout d'énergie, non de conduite de vie, et sans être psychanalyste, il évoque en fait l'inconscient. Dans sa théorie du surhomme, loin de faire l'apologie du puissant qui tente d'imposer sa force au plus faible, il décrit un individu qui ne cède pas à l'invitation à la tiédeur, à la rondeur. Il est doté de cette capacité à se distinguer, d'une vitalité sur laquelle il ne cédera en rien. Quant au philosophe Michel Onfray, qui réinterprète cette notion lui aussi, il a la belle ambition de nous faire entendre la philosophie hédoniste, qui tranche effectivement avec ces discours qui nous enjoignent la mesure. Sauf que ses livres deviennent vite des leçons de vie, ponctuées d'injonctions telles que « Soyez libres ! Jouissez ! ». Et nous avons vu que le Ça n'aime pas beaucoup qu'on lui donne des ordres. Quand l'inconscient est bâillonné, seule domine la morale…

Le refoulé fait forcément retour

Il existe un refoulement vital des pulsions qui s'agitent en nous et doivent s'inscrire dans un contexte donné. C'est tout le rôle de l'éducation, à ceci près qu'il nous faut distinguer celle qui aliène, pétrifie l'enfant, lui fait perdre le fil de sa voix puissante, et le refoulement qui lui fait comprendre que ce n'est pas en trépignant qu'il aura ce jouet. Il va devoir trouver une meilleure façon d'obtenir ce qu'il veut, aménager ses pulsions pour qu'elles deviennent recevables par l'entourage, trouvent le bon moment pour s'exprimer, sans renoncer à son désir. Certains refoulements ne se retournent pas contre nous : l'énergie trouve à s'exercer ailleurs, elle se transforme, se sublime. En revanche, celle qui ne trouve pas d'issue va nous revenir comme un boomerang, nous faucher en plein vol. Elle devient pathologique quand elle traduit la peur d'aller vers notre désir : c'est le fameux retour du refoulé. La métaphore de l'eau aide à comprendre le mécanisme : l'eau d'un canal ou d'un barrage est contrainte, elle ne peut s'échapper, à la différence de la rivière sauvage qui serpente, bondit joyeusement, sans pour autant quitter son lit. Sauf qu'à trop vouloir contenir l'énergie de l'eau, le barrage cède car elle est toujours la plus forte, comme le montrent toutes les catastrophes naturelles. Lorsque en revanche nous laissons le désir circuler, il slalome, contourne les obstacles, freine, prend des virages, et finit par se faufiler. Et nous avec lui. Malheureusement, bien souvent, nous retenons notre énergie, par crainte qu'elle nous emmène on ne sait où, qu'elle nous perde. Mais cette rétention extrême, ce refus d'écouter toute tentation, peut devenir catastrophique. Nous voilà coincés entre la perspective d'un Ça indomptable, menaçant, et l'enfant raisonnable qui fait bien ses devoirs. Or, pour aller vers notre ambition, il va falloir retrouver cette indocilité-là, cette ferveur. Car si notre « sale gosse » n'a pas pu assez s'exprimer, lorsqu'il va reprendre les rênes, il fera n'importe quoi, nous le faisant payer cher. Ainsi, si d'aventure ceux qui s'interdisent l'idée même d'aller voir ailleurs cèdent à la tentation, leur tromperie vire souvent à la catastrophe. Ils ne choisissent pas la bonne personne, ou, se sentant tellement coupables, se font prendre par leur partenaire. Certains ne s'en remettent jamais, l'infidélité ayant créé une cassure irréparable dans leur confiance. Ces couples ont souvent tenu un discours catégorique : « Moi, tromper ma femme ? Jamais ! », « Le couple, c'est comme ça, pas autrement ! » sans se rendre compte que les préceptes trop rigides sont les plus fragiles… Au cours du travail analytique, quand ils font tomber ces interdits, qu'ils s'en approchent, que se passe-t-il ? Vont-ils quitter leur femme, leur mari ? La plupart réalisent qu'en abandonnant leurs certitudes sur la fidélité, ils n'ont pas une sexualité débridée pour autant, qu'ils vont peut-être choisir de rester avec leur partenaire, parce que c'est avec lui que, tout simplement, ils ont envie d'être. Ayant accepté l'idée d'une infidélité, sans même parfois passer à l'acte, ils découvrent qu'ils ont l'ambition d'un couple qui dure. N'ayant pas vécu la fidélité sur un mode sacrificiel, ne s'étant pas interdit d'aller ailleurs éventuellement, ils font le choix de leur vie, plus qu'ils ne s'y obligent. D'ailleurs, les détours sont souvent minimes : en restant à l'écoute de leur désir, ils sont loin de devenir les débauchés qu'ils craignaient d'être, bref, ils se rendent compte bien souvent que l'herbe n'est pas forcément plus verte ailleurs. Comme le souligne Oscar Wilde : « Le seul moyen de se débarrasser d'une tentation est d'y céder… »

Et la chance de l'angoisse !

L'angoisse se manifeste toujours par des signes physiques : suées, tremblements, ventre qui se noue. Elle n'est pas intellectuelle et empêche souvent même de réfléchir, mais elle révèle quelque chose qui ne passe pas par la pensée. Comme l'écrit Marguerite Duras, il y a parfois « cette obligation absolue d'obéir aux impératifs du corps ». L'angoisse, qui a si mauvaise presse, est pourtant précieuse : elle est la voix de l'inconscient qui tente de se frayer un chemin, même si elle n'arrive pas à se faire entendre. Elle nous empêche de continuer à fonctionner avec le système dont nous nous étions arrangés, sans toutefois nous donner les moyens de le lâcher. Bref, elle nous coince : nous avions organisé notre vie, décidé que tout allait très bien ainsi, et l'angoisse surgit de manière impromptue, inconvenante, nous conduisant à l'échec. Et si c'était une chance ? Et si elle allait nous permettre de nous engager dans un autre chemin, de retrouver le fil de notre ambition ? À condition cependant de ne pas la noyer dans une hyperactivité – les faux ambitieux dont nous parlions dans l'introduction sont souvent de grands angoissés – ou de la faire taire à coup de médicaments, sans écouter ce qu'elle a à nous dire. Son avantage ? Elle peut conduire à entreprendre une analyse, où le rôle qu'a joué un parent anxieux dans l'enfance apparaît très vite. Ce dernier n'a pas encouragé l'ambition de son enfant, a passé son temps à le mettre en garde, et même si l'angoisse de vivre n'a pas été clairement énoncée, nous allons la porter en nous inconsciemment, tant elle est ce qui se transmet le plus facilement. C'est ce qui explique que certaines personnes, pleines d'énergie au départ de leur vie, s'effondrent brutalement ou s'étiolent à petit feu de façon illogique au regard de leur parcours. Elles s'étaient juré d'avoir une vie d'artiste et finissent par garder le travail alimentaire et monotone qui devait n'être que transitoire, parce que la phrase « On sait ce qu'on perd, pas ce que l'on trouve » a bercé leur enfance. L'angoisse jaillit souvent pour les rappeler à l'ordre. Vont-elles oser entendre son message ?

Et si nous n'y arrivons pas ?

Nous pouvons nous démener pour poursuivre notre ambition, sans y parvenir, tant nos résistances inconscientes se montrent tenaces. Contrairement à ce qu'affirment les adeptes du développement personnel qui font fi de l'inconscient, il ne suffit pas toujours de vouloir pour pouvoir. Si nous avons le sentiment de passer à côté de notre vie, de nous consumer à petit feu, il est temps d'essayer d'y voir plus clair avec l'aide d'un thérapeute. L'analyse relève toujours d'une impérieuse nécessité. Jusque-là, nous nous arrangions de nos pièces surchargées, et nous prenons soudain conscience que si nous ne virons pas quelques meubles, nous allons étouffer. Le point de bascule vient toujours de la souffrance, se traduit souvent par un : « Ça ne peut plus continuer comme ça ! » La plupart des analysants ignorent les raisons précises qui les conduisent sur le divan, mais savent au fond d'eux que leur vie ne leur convient pas. Tant que leur véhicule, même poussif, les transportait, ils ne prenaient pas le risque de changer, seule la panne d'essence les a conduits à demander un rendez-vous. C'est pourquoi il ne sert à rien de faire du prosélytisme, la décision de faire une analyse ou pas ne dépend que de soi. D'ailleurs, qui sommes-nous pour dire aux autres que leur vie est médiocre ? Qui peut se poser en juge de ce qu'il faut vivre ou pas ? De toute façon, nous aurons beau nous époumoner, l'autre n'entendra que ce qu'il veut entendre, et surtout ce qu'il est prêt à entendre. Personne ne peut amener l'inconscient sur un plateau, qui n'est pas une part de nous-mêmes, mais nous, en tant qu'être vivant. L'enfant, lorsqu'il paraît, n'est qu'inconscient, sa conscience va s'élaborer au fil du temps. Il est un entrelacs de signifiants issus de notre histoire, notre généalogie, notre géographie, signifiants qui à notre insu, et sans correspondance avec la logique de notre pensée, nous animent. L'inconscient est dynamique, il est le lieu de nos pulsions, de nos désirs, de nos jouissances, la poubelle de nos refoulements, le moteur de nos actions. Bref, il est ce qui nous fait être. Et paradoxalement, c'est en nous en remettant au psychanalyste, à son écoute qui nous fait entendre quelque chose de notre dynamique inconsciente, dans le cadre précis de la cure, que nous allons pouvoir nous prendre en charge.

Dépasser la peur de l'inconnu

Cette démarche s'accompagne toujours d'une peur de découvrir ce qu'il y a derrière, pour s'apercevoir qu'il y a juste du possible – et c'est déjà énorme ! En introduisant de l'espace, l'analyse libère du souffle, donne de l'air. En relativisant nos croyances, en revisitant nos efforts méritants, nous allons pouvoir bouger un peu, nous déplacer. Nous sommes prêts à prendre le risque de l'inconnu, alors que jusque-là, refusant l'incertitude, nous poursuivions cahin caha notre chemin. À la différence des promesses des religions et des coachs, l'analyse ne vend pas d'illusion, elle demande d'accepter de se laisser embarquer vers un ailleurs.

Qu'est-ce que je risque à tenter une aventure qui m'approcherait de ce que je rêve d'être ? De découvrir que j'en suis capable ? Répétons-le, le plus grand risque est que cette direction me plaise, la peur consciente de l'échec ne pesant pas lourd face à la résistance inconsciente de la réussite, de loin la plus dominante. Si quelque chose en nous se débride, où cela va-t-il me mener ? Nous portons tous la crainte de voir s'épanouir en nous ce diablotin qui ferait n'importe quoi, héritage certain de la culture catholique qui n'encourage ni le plaisir ni l'excès, et brandit la menace de la punition divine. Une culture elle-même inventée par cette peur archaïque, ô combien humaine, de se laisser déborder… Alors, nous nous retenons, nous rassurant : oh, on n'a pas à se plaindre quand même, ce n'est déjà pas si mal ! Mais pour aller vers notre ambition, il va nous falloir dépasser ce reproche : pourquoi est-ce que je n'arrive pas à me contenter de ce que j'ai ? Peut-être parce que j'en veux plus. Nous n'avons guère appris à jouir de la vie, avons rarement vu notre entourage s'autoriser à vivre pleinement, et pourtant, la gourmandise n'est pas la gloutonnerie. S'abandonner à ce qui nous fait plaisir ne nous fera pas manger n'importe quoi, sans arrêt, jusqu'à nous étouffer. Le gourmet ne se gave pas, il déguste, il savoure... Prendre le risque d'aller vers une destination inconnue ne signifie pas que nous n'aurons plus la main sur rien, au contraire : nous avons toujours plus de maîtrise à enclencher ce mouvement qu'à gérer notre mal-être, nos fatigues. En accueillant nos angoisses, en nous laissant faire par elles, en les questionnant, la pression baisse, nous ne sommes plus aux aguets, et elles deviennent moins nombreuses. Quand elles resurgissent, nous pouvons nous demander ce qu'elles viennent faire là, à ce moment de notre vie. Et sur le divan, nous allons pouvoir repérer celles qui bloquent notre ambition.

Des rencontres salvatrices

Sans un travail sur soi, est-il possible de briser nos résistances ? La romancière Jeanette

Winterson en témoigne. Dans le livre déjà cité, elle raconte qu'elle a tout lu sur la psychanalyse, mais n'en a jamais fait. Elle a pu transformer ce passé, qui aurait pu l'anéantir, en matière créative. Certaines personnes ont la capacité de s'approprier les outils psychanalytiques, sans forcément s'allonger sur un divan. Sont-elles mieux que les autres ? Non, mais elles ont réussi à se sauver en sublimant l'énergie du refoulement au lieu de la retourner contre elles. Notre pulsion de vie peut encore nous pousser vers telle personne plutôt que telle autre. Allons-nous inconsciemment vers un partenaire qui nous ramène vers un passé plombant ou vers celui qui nous apporte une certaine libération ? Nous faisons preuve parfois d'un flair étonnant pour nous diriger vers celui qui nous ouvre une porte, nous sauve, sans que nous ayons toujours besoin d'entreprendre une psychanalyse. Cela fait partie des bonnes surprises que nous offre parfois la vie.

L'AMBITION N'A PAS D'ÂGE

« Le temps qui nous reste à vivre est plus important que toutes les années écoulées. »

Tolstoï

Ce n'est plus de mon âge, vraiment ?

Que devient notre ambition au fil des années ? S'épuise-t-elle, ou au contraire nous sentons-nous plus libres de suivre nos désirs ? Tout dépend en fait des autorisations que nous nous serons accordées jusque-là. Certains trouvent dans l'âge un alibi bien commode pour baisser les bras définitivement, les mêmes qui répètent en boucle : « On n'a plus vingt ans ! », « Si tu crois que c'est encore de mon âge ! » Pourtant, nous n'avons jamais été aussi en forme physiquement, et si notre corps vient effectivement nous rappeler que nous n'avons plus le souffle pour grimper en haut de l'Annapurna, en avons-nous envie ? Bien que des jeunes de vingt ans aient déjà une ambition affirmée, ils sont loin d'être les plus nombreux. La plupart sont empêtrés dans ce conflit entre ce qu'il *faut* être et ce vers quoi ils *veulent* tendre. La maturité nous permet souvent d'affiner nos choix, de les faire évoluer. Nos désirs se déplacent, sont plus en cohérence avec ce que nous sommes, à condition de rester à notre écoute, sans nier désespérément les années qui passent. Peut-être avons-nous perdu notre ambition par moment ? Mais nous avons bataillé pour la reconquérir, l'avons retrouvée, autant d'indices qui indiquent que nous n'avons pas cédé sur nos désirs, selon l'expression de Jacques Lacan.

En revanche, si notre vie a été vécue sur le mode du renoncement, l'âge n'arrangera rien, même si, répétons-le, les dés ne sont jamais définitivement jetés. Peut-être encore qu'un désir timide de liberté a été mis sous cloche, sans avoir été étouffé totalement. Le facteur frappe toujours trois fois, et notre ambition peut également se manifester à nouveau, repasser par là. Allons-nous lui ouvrir la porte ou lui tourner encore le dos ? La réalisatrice Noémie Lvovsky, attirée jadis par le théâtre, raconte une de ses premières auditions, où un professeur lui affirma qu'avec son physique peu avantageux, elle ferait mieux d'abandonner. Cet oiseau de mauvais augure l'assura qu'elle paraissait trop vieille pour jouer les jeunes premières, pas assez pour les autres rôles, rengaine fréquente dans le théâtre et le cinéma. La sentence fut si douloureuse qu'elle renonça alors à son désir d'être comédienne, et s'orienta vers la réalisation. Puis, quelque temps plus tard, Yvan Attal, un ami, lui demanda de jouer dans son film *Ma femme est une actrice*, la replongeant dans cet univers de la comédie qu'elle n'a plus quitté depuis, tout en continuant à réaliser. Beaucoup retrouvent en chemin leur ambition et se saisissent de cette nouvelle opportunité, sans laisser le plat repartir en cuisine ! D'autres se consacrent désormais à autre chose, sans en être affectés ou aigris, ils n'en éprouvent plus l'envie, tout simplement. Peut-être s'en sont-ils approchés suffisamment pour se rendre compte que là n'était pas vraiment leur désir. Après quelques mois sur scène, certains acteurs réalisent que ce métier ne leur convient pas, qu'ils ne sont pas prêts à s'en remettre toujours au désir d'un metteur en scène, d'un réalisateur. Ils prennent la plume, la caméra, ou s'en vont vers d'autres destinations sans regret, rien n'a été manqué ni retardé. Il faudra alors se méfier des voix dissonantes de ceux qui ne manqueront pas de venir nous rappeler à l'ordre, notamment s'ils estiment que nous laissons filer une « chance inouïe ». Quoi, tu refuses ce poste que tu convoites depuis tant de temps ? Eh oui, mais aujourd'hui, il ne me motive plus… La pilule sera d'autant plus difficile à avaler si eux-mêmes ont couru toute leur vie après ce pompon à décrocher. Un tel refus les ébranle : au fond, est-ce que leur ambition était bien celle-là, est-ce que le jeu en valait la chandelle ? Il est toujours intéressant d'interroger ce qui, chez les autres et leurs choix, nous fait bondir, car cet agacement raconte souvent ce qui inconsciemment nous apparaît comme une menace, il est le révélateur de nos failles. Quand un événement qui ne nous concerne pas directement nous bouscule et nous remue, arrêtons-nous un moment pour tenter d'analyser ce rejet précieux : comme l'angoisse, il signale souvent un désir qui n'arrive pas à se faire entendre, que peut-être nous envions chez l'autre…

Maintenant ou jamais

Toutefois, il ne s'agit pas de nier que la vie passe, qu'il vaut mieux ne pas remettre éternellement notre ambition à demain. Même si cette urgence à suivre notre désir est valable à chaque âge de la vie, elle prend naturellement une autre tonalité à soixante ou soixante-dix ans. Nous n'avons plus toute la vie devant nous, et certaines aventures seront plus difficiles, voire impossibles à entreprendre. Cela dit, chacun a son temps, comme pour cet ingénieur s'étant mis à faire du théâtre à la retraite. Peut-être n'étions-nous pas prêts, pas assez libres ? Nous avons pu nous satisfaire d'un certain travail jusqu'à cinquante ans, et ne plus en avoir envie, ou bien avoir le désir de le faire autrement. J'arrête ou je continue ? Et si je continue, comment ? À tout âge, il est important de se questionner et savoir accueillir ce dérangement dont nous parlions dans le chapitre « Poursuivre son ambition ». Accepter notre envie de changement, l'inconfort qu'il procure si nous ne savons pas encore ce que nous voulons, c'est faire encore de la place à ce vide si précieux pour l'entendre.

Oser une certaine impertinence

Est-ce l'âge qui nous donne de l'audace ? Disons plutôt que c'est l'écoute de notre désir, les ambitions que nous nous sommes autorisées qui, le temps passant, nous affranchissent des supposés normes ou devoirs auxquels nous serions, dans nos imaginaires, soumis. S'approcher de son désir ne brûle pas, c'est le refuser qui nous consume. Pourtant, nous le voyons toujours comme une boîte de Pandore : si je m'écoute, si je change dans mon couple ou mon travail, n'est-ce pas la porte ouverte à tous les débordements ? Serions-nous au fond un personnage diabolique, égoïste, lubrique, à qui nous ne pouvons faire confiance et qui va forcément nous conduire à l'excès, à la débauche ? Cette crainte explique sans doute que l'exhortation à la mesure rencontre aujourd'hui tant de succès : elle nous rassure en nous poussant à claquemurer ce désir qui nous effraie tant. Oui, notre « sale gosse » signale une force vivante qui refuse de se soumettre, et si nous nous en méfions, nous savons pourtant que cette énergie, qui nous fait tirer la langue aux conventions, nous fait un bien fou ! Le temps passant, nous nous débarrassons de certaines pesanteurs. Moins dupes des soi-disant règles en vigueur, nous les assouplissons, y introduisons du jeu, nous autorisons de petites transgressions. Oui, l'âge peut être un atout pour assumer notre ambition, à l'instar de ces vieilles dames indignes qui se sentent soudain libérées des contraintes, du regard des autres et de leur jugement. En ressentant ce vent de liberté inédit, nous n'allons pas forcément envoyer tout balader, mais l'entourage ne nous fera plus – ou moins – passer par ses desiderata. Nous oserons affirmer à quel point une certaine peinture nous ennuie, même si nos amis poussent des cris d'orfraie parce que la finesse des vierges à l'enfant nous laisse de marbre. À la place de la visite des musées obligatoires, nous nous promènerons nez au vent, à l'affût du café ou de la terrasse qui nous tend les bras pour déguster notre livre ou notre musique préférée. Plus nous avançons dans la vie, plus nous lâchons du lest, n'ayant plus nos preuves à faire, un atout fondamental pour notre l'ambition.

S'affranchir des demandes de nos proches

Nous n'en aurons jamais fini avec les demandes des autres. Mais si les exigences de la société sont celles dont nous nous défaisons le plus facilement avec l'âge, nous sommes souvent plus empêtrés avec celles de nos proches. Comment, nous ne voulons pas garder nos petits-enfants tous les mercredis ? Nous partons six mois à Rome ? Quel égoïsme… Et si nous avons le goût de parcourir le monde plutôt que de nous transformer en baby-sitter corvéable à merci ? Cela ne nous empêchera pas d'adorer nos petits-enfants, de les prendre avec plaisir quand nous serons libres, quand nous le déciderons, sans nous laisser imposer notre emploi du temps. C'est sûrement la meilleure façon d'assumer joyeusement son rôle de grand-parent, de nouer des relations chaleureuses avec ses petits-enfants, loin des obligations supposées. Observons encore la réaction des enfants adultes quand un de leurs parents refait sa vie, ou rencontre tout simplement quelqu'un avec qui il décide de passer du bon temps. Toute leur assurance d'enfant s'effrite devant cette nouvelle image imprévue de leur parent à nouveau amoureux. On ne compte plus les personnes qui renoncent à toute vie sentimentale et sexuelle pour ne pas peiner leurs enfants... de trente-cinq ans ! La vieille dame ou le vieux monsieur indignes envoient valser les conventions, voyagent, s'amusent, en profitent, au grand dam de l'entourage qui préférerait les voir se consacrer au bricolage et aux confitures. La liberté se conquiert toujours en brisant des chaînes, même les plus aimantes, nous ne pourrons en faire l'économie. En choisissant de vivre notre vie comme nous l'entendons, nous allons agacer nos proches, qui ne veulent pas nous voir changer, et tous ceux qui n'osent le faire et à qui nous montrons que c'est possible. Eh bien tant pis, notre belle ambition le mérite. En cas de doute, se reporter au chapitre précédent, sur les risques encourus à ne pas la suivre...

Ce fameux démon de midi ou minuit...

Voilà ce que l'on appelle dans la presse un bon « marronnier », sujet qui revient sempiternellement au fil des saisons. Certes, il y a ceux qui – homme ou femme – refusent de vieillir et dans un sursaut puéril pensent qu'un changement d'herbage leur redonnera leur jeunesse, démarche qui se solde bien souvent par un échec. Mais pour d'autres, il peut s'agir d'un élan vital, qui ne pouvait être envisagé avant. Après avoir assumé leur rôle de parents, et conscients que leur couple est devenu un compagnonnage confortable mais peu excitant, ils aspirent à une autre relation, plus satisfaisante. Ils s'exposent alors aux réactions hostiles, telles que les a essuyées un homme de cinquante ans, qui a divorcé pour vivre avec une femme de dix ans sa cadette. Ah, quelle banalité de quitter sa « vieille compagne » pour une plus jeune ! a ricané son entourage. Sauf qu'il lui a répondu : « Je n'ai pas quitté ma femme pour une plus jeune, je l'ai quittée pour une femme qui rit... » Peut-être se trompait-il en faisant ce choix, mais en attendant, c'est avec elle qu'il se sentait heureux : qu'ajouter à ce constat ? Ces rencontres dérangent l'ordre des choses, mais ne regardent que les couples concernés. Personne ne sait jamais ce qui se passe dans une intimité. Quand les enfants s'en vont, nous ne pouvons plus nous appuyer sur la famille que nous formions au jour le jour. Quelles autorisations nous donnons-nous ? Quels renouveaux allons-nous oser ? S'ouvrent de nouveaux chemins à explorer, de nouveaux horizons, avec notre partenaire, quand la relation est restée vivante et ambitieuse, avec un autre peut-être, ou seul si telle est notre envie.

Que dire encore des femmes qui se désolent de ne rencontrer personne après cinquante ans ? Même si les exemples prouvant le contraire sont nombreux, elles n'en démordent pas. Au fond, en ont-elles vraiment envie, et que cherchent-elles ? Un compagnon pour passer un bon moment, et plus peut-être s'ils s'entendent bien, ou courent-elles après un partenaire avec lequel elles veulent à tout prix refaire leur vie, ne voulant pas « finir » seules ? Une fois encore, il ne s'agit pas de nier les difficultés, il est moins facile de faire des rencontres à soixante qu'à vingt ans, moins facile, mais pas impossible. Toutefois, si nous avons changé de trottoir dès que le désir pointait son nez, mené une vie sous le signe du repli et de l'instinct de conservation, rien d'étonnant alors de ne rencontrer personne et d'en conclure en soupirant : décidément, l'amour n'est plus de mon âge !

Écarter les fâcheux

L'ambition a toujours un petit côté présomptueux, que les fâcheux ne manqueront pas de souligner, surtout si nous tardons à la mettre en œuvre. Alors, ce tour du monde, c'est pour quand ? S'ils posent la question, ce n'est pas par réel intérêt pour notre projet, mais pour pointer notre incapacité à le mener à bien. Certaines personnes ont le don de nous flinguer en vol et mieux vaut parfois feindre d'avoir abandonné notre ambition, pour ne pas nous exposer aux remarques désobligeantes. Un exemple ? Répéter à qui veut l'entendre : « Je ne serai jamais Jean-Luc Godard » peut être une astucieuse façon de faire un pas de côté pour se débarrasser du regard des autres, de leur attente. Cela ne signifie pas que nous avons renoncé à filmer cette œuvre qui tarde à venir et nous tient à cœur, mais nous nous protégeons, voulant désormais rester à l'abri des questions insidieuses. D'ailleurs, pourquoi avions-nous éprouvé le besoin d'annoncer notre projet à la terre entière ? Pour nous entendre dire qu'on nous en pensait capables ? Une projection qui s'est révélée plus gênante que motivante. Et nous, pour qui voulons-nous le faire ? Pour montrer aux autres notre talent ? Pour être aimé, admiré ? Certes nous filmons pour être vus, sinon les scénarios resteraient dans le fond d'un tiroir, mais cette finalité ne doit pas précéder le projet ni l'envahir. Oui, l'ambition dérange, elle vise toujours un peu plus haut que ce dont nous sommes peut-être capables, ou à côté, à quoi bon sinon ? Quand je cuisine une blanquette de veau, est-ce que je ne veux pas qu'elle soit la meilleure que j'aie jamais faite ? Mais est-ce que je relève un défi vis-à-vis de moi-même ou vis-à-vis des autres, pour leur prouver que je suis une cuisinière hors pair ? Quand une activité nous plaît, nous nous arrangeons de n'être ni Ducasse ni Godard...

Éviter l'écueil de l'aigreur

Avec l'âge, l'aigreur est sans doute l'écueil qui nous guette le plus. C'est elle qui nous transforme, selon l'expression consacrée, en « vieux con ». Ah, ces jeunes qui ne savent plus écrire ni parler ! Effrayés par des codes dont ils ne saisissent pas tout, et qui surtout ne sont pas les leurs, les aigris les critiquent avec force au lieu de s'en montrer curieux, d'essayer de les comprendre. Et s'ils ont passé leur temps à répondre aux demandes des autres et se sentent floués par la vie, le rejet sera d'autant plus fort. Ils vont se rassembler en coterie, où chacun hochera la tête d'un air entendu : décidément, les jeunes ne valent rien, oubliant un peu vite qu'eux aussi trouvaient les vieux particulièrement « cons » quand ils avaient vingt ans. La jeunesse renouvelle la scénographie en cours, elle est intéressante, intrigante, différente surtout, c'est en ce sens qu'elle paraît menaçante, parce que ses règles nous échappent. Est-ce que c'était pour autant « mieux de notre temps » ? Même les plus âgés ont une liberté que n'ont jamais eue leurs parents, encore moins leurs grands-parents. Nous n'avons pas la même culture que les plus jeunes, c'est indéniable, nos goûts divergent, mais si chacun parle de ce qui le touche réellement, s'il l'explique, gageons que cette sincérité jettera une passerelle fructueuse entre les générations. Les jeunes ne rejettent pas les plus anciens quand ces derniers s'intéressent vraiment à eux, à ce qu'ils font. Bien souvent, ils apprécient de discuter avec les générations précédentes, à condition de ne pas se sentir jugés. Rester attentif à ce qui nous touche, à ce qui nous motive, est sans aucun doute la meilleure façon de ne pas tomber dans le syndrome de l'aigreur.

Plus ouverts aux autres

Être adulte pour certains consisterait à se débrouiller seul, avec l'idée sous-jacente de ne pouvoir s'en remettre à personne. Mais cette position de totale autonomie est une impasse, qui révèle que nous cherchons à nous définir uniquement « contre », ce qui n'est guère plus libérateur qu'obéir. Or un sujet mature n'a plus peur de demander de l'aide ni de faire confiance. Quand nous sommes sur le fil de notre ambition, nous avons d'autant plus de facilité à admirer, à solliciter des avis, à écouter ce que d'autres ont à nous dire. Dès lors qu'ils ne servent pas de guide ou de béquilles, l'entourage devient une vraie richesse.

Nous glanons dans les rencontres ce qui nous intéresse, n'attendant pas qu'elles nous indiquent la direction à prendre. D'autant que les voies du désir s'ouvrent parfois de façon bien mystérieuse…

Jusqu'au bout de la vie

Dans l'émouvant film *Quelques jours de printemps,* l'héroïne, incarnée magnifiquement par Hélène Vincent, a cette phrase belle et terrible à la fois : « Je n'ai jamais rien choisi dans la vie, je veux choisir ma mort. »

Cette idée a cheminé en elle après avoir vu une émission sur l'euthanasie. Elle n'a pas les mots pour défendre son projet, elle ne les a jamais eus, mais elle est fermement décidée à faire entendre son désir une première et dernière fois. La réussite du film est d'avoir évité l'écueil de l'œuvre didactique, en montrant l'itinéraire de cette femme, que la vie n'a pas gâtée, mais qui dans un sursaut décide de prendre sa mort en main. Elle n'en est pas plus sympathique, elle est juste apaisée par cette décision qui n'appartient qu'à elle. Qu'est-ce qui fait tilt et nous touche à un moment donné ? Une anecdote, une réplique de film, une émission de télévision ? Nous sommes tous agités de désirs, mais sommes-nous prêts à les entendre ? C'est la grande question de l'ambition vivante, celle qui ne cessera qu'à notre dernier souffle. La fatalité de l'âge n'existe pas : certes l'arthrose nous guette, mais à vingt ans, avions-nous, au moins psychiquement, tous les possibles en main ? Si nos résistances physiques baissent, certains choix sont plus libres à soixante ans qu'à trente. Il n'y a pas d'âge pour que notre ambition s'épanouisse enfin…

CONCLUSION

Poursuivre son ambition peut effrayer, comme effraie dans un premier temps tout acte de liberté.

Mais il ne s'agit pas toujours, loin de là, de bousculer sa vie de fond en comble. Cet objectif ne se fera pas au sacrifice de notre vie de couple, de notre métier ! Toutefois, en cernant notre belle ambition au plus près, nous allons pouvoir aménager nos vies pour nous en approcher au fil des circonstances.

La vie ne se décline pas en noir ou blanc, mais en une infinité de nuances, sans pour autant qu'il faille lâcher sur ce qui nous semble essentiel. Si nous caressons le rêve de changer de voie, nous allons commencer par faire une formation, prendre un temps partiel peut-être, pour tester dans la réalité ce désir qui n'est pas encore matérialisé. Résistera-t-il à l'épreuve de sa mise en acte ? Pas forcément… On ne compte plus désormais les articles qui vantent les changements de cap à 360° et les personnes qui ont fait des choix radicaux, comme de passer d'un poste de trader au cœur de Paris au métier d'éleveur de moutons dans le Cantal. Pour un virage spectaculaire réussi, combien retournent à la case départ avec en supplément un fort sentiment d'échec ? Là encore, tout va dépendre de la motivation : est-ce pour correspondre à une image d'Épinal ou est-ce un véritable désir ? Dans le premier cas, l'aventure ne durera guère, à moins que, sans possibilité de retour, notre éleveur finisse aigri, en voulant à la terre entière. Dans le second cas, peut-être y trouvera-t-il une quiétude qui lui correspond, pour un moment de sa vie. C'est l'histoire de ce fils de commerçants qui, après avoir tenu le restaurant de son père pendant dix ans, s'est installé dans les Pyrénées pour fabriquer du fromage. Il y a vécu très heureux jusqu'à sa retraite, où il est revenu en ville parce que la vie culturelle commençait à lui manquer. N'est-ce pas là l'itinéraire d'un homme qui a su s'adapter en fonction de ses désirs successifs ?

Au terme de ce livre, nous espérons avoir souligné les impasses d'une ambition imposée. Toutefois, même la belle ambition n'est jamais acquise, elle reste toujours à conquérir, à moins de nous complaire dans la position du maître ou de l'esclave, positions qui nous tentent tous, et dont il faut être conscient pour pouvoir les dépasser. De la même façon qu'il faut accepter notre racisme pour le combattre. En effet, la liberté de l'autre me dérange, tout comme ma liberté le dérange, seule la tolérance va permettre de conjuguer ces mouvements. Cela ne signifie pas que nous allons vivre au pays des Bisounours, mais ayant pris la mesure de ce qui nous distingue, nous serons plus à même d'accepter les différences. Enfin, nos ambitions se vivent souvent simultanément : si nous ne supportons plus que l'on nous manque de respect au travail, nous ne le supporterons pas non plus dans notre couple, et c'est tant mieux ! Faisons confiance à cette dynamique, porteuse de vie, nous avons tout à gagner à prendre en compte notre jouissance, ici et maintenant, sans la reporter sans cesse à demain, sachant qu'aucune jouissance ne se ressemble ! Si nous suivions tous notre ambition, le monde serait plus libre, plus joyeux, plus créatif... et assurément moins névrotique !

Merci à Violaine Gelly-Gradvohl
pour sa relecture amicale et ses conseils judicieux.

CET OUVRAGE A ÉTÉ COMPOSÉ PAR NORD COMPO
POUR LE COMPTE DES ÉDITIONS J.-C. LATTÈS
ET ACHEVÉ D'IMPRIMER EN FRANCE
PAR CPI BUSSIÈRE
À SAINT-AMAND-MONTROND (CHER)
EN OCTOBRE 2013

N° d'édition : 01. — N° d'impression : 2005415.
Dépôt légal : novembre 2013.